W9-BVC-923
DEMCO

EDICIÓN ORIGINAL

Dirección de la colección
Charles-Henri de Boissieu

Dirección editorial
Jules Chancel

Diseño gráfico
Jean-Yves Grall

Maquetación
ATE/Philippe Faverjon

Cartografía
Légendes Cartographie

Documentación fotográfica
Briggett Noiseux

EDICIÓN ESPAÑOLA

Dirección editorial
Núria Lucena Cayuela

Coordinación editorial
Jordi Induráin Pons

Edición
Laura del Barrio Estévez

Traducción
Gloria Roset Arissó

Cubierta
Francesc Sala

ISBN: 84-8332-463-6
Impresión: IME (Baume-les-Dames)

Bernard Guillochon

La globalización

¿un futuro para todos?

LAROUSSE

Biblioteca Actual

Sumario

«Globalización

Este término designa el conjunto de fenómenos por los que la vida de todos los habitantes del planeta depende, por lo menos en parte, de decisiones que se toman fuera de su propio país.»

Bernard Guillochon

Prólogo

La globalización designa el conjunto de fenómenos resultantes de la creciente apertura de las economías a las mercancías y capitales extranjeros. La búsqueda de la mejor oportunidad de negocio por parte de las empresas junto con la organización de los procesos productivos a escala planetaria y la rápida circulación de la información contribuyen a potenciar los intercambios comerciales entre las distintas naciones. En este caso se habla de «globalización financiera». Así, empresas de grandes dimensiones, como Coca-Cola, Ford o IBM, se hallan presentes en varias decenas de países donde la mano de obra es barata y los mercados muy vastos. Por otro lado, entre 1980 y 1999, las inversiones en el extranjero se multiplicaron por diez, lo que supuso un crecimiento superior al del comercio, que a su vez aumentó más rápidamente que la producción. Un fenómeno de amplio alcance del que la historia nos ofrece ejemplos parecidos, y especialmente entre 1850 y 1914. Sin embargo, el sistema económico actual posee sus particularidades en relación con la economía de corte liberal en la medida en que, actualmente, las leyes del mercado están sujetas al poder de los estados y sus reglas son establecidas por las instituciones internacionales. Para los defensores de la globalización, este equilibrio permite que los beneficios obtenidos lleguen a la mayor parte de la población. Pero al mismo tiempo, existen grupos de trabajadores (asalariados, agricultores) y países menos desarrollados que no pueden hacer frente al impacto de la competencia externa y que reivindican el derecho a recibir protección. En nombre de estos grupos, excluidos de la globalización, tanto las ONG como el movimiento antiglobalización denuncian los excesos de esta nueva economía, que aún es demasiado liberal y a la que se pueden achacar, según sus críticos, el aumento de las desigualdades y de la pobreza de los más desfavorecidos, además de la creciente degradación del medio ambiente. Este libro se propone exponer un panorama completo de la naturaleza sin duda contradictoria y compleja, de este multifacético fenómeno.

Shanghai, apertura de los grandes almacenes Le Printemps. La implantación de filiales en el extranjero es el signo más visible de la globalización.

La globalización se basa en la intensificación de las relaciones comerciales internacionales, que aumentan un promedio del 7 % cada año frente al 2,3 % de incremento de la producción. Este hecho se debe a la actividad de las empresas internacionales, en su mayoría afincadas en los países más industrializados. Por otra parte, la globalización también incluye la migración de la población en busca de mejores salarios. Finalmente conlleva una importante aceleración de los movimientos de capital entre distintos países a razón de hasta 1,4 billones de dólares por día, lo que pone en peligro la estabilidad de algunas economías nacionales, especialmente en las naciones emergentes.

La Bolsa de Hong Kong

Una responsabilidad... ¿de todos por igual?

Una responsabilidad... ¿de todos por igual?

El término globalización hace referencia al conjunto de fenómenos mediante los cuales la vida de los habitantes del planeta está vinculada, al menos en parte, a decisiones tomadas fuera de su propio país y sobre las que no ejerce ninguna influencia.

La globalización empieza por el comercio

La intensificación de los flujos comerciales con regiones a menudo lejanas, la deslocalización de las empresas, el desplazamiento de la mano de obra y la liberalización de los movimientos de capitales son algunas de las manifestaciones del fenómeno de la globalización cuyos efectos, tan aplaudidos por los neoliberales, han sido seriamente cuestionados a las puertas del siglo XXI. El comercio mundial aumenta de media más rápidamente que la producción mundial, lo que indica el creciente movimiento de apertura de los países implicados. Así, entre 1990 y 2000, el índice de crecimiento anual del volumen total de las exportaciones mundiales alcanzó el 6,8 %, frente al 2,3 % de la producción. Sin embargo, dicho fenómeno beneficia esencialmente al mundo occidental y a Asia, mientras que los países de Latinoamérica sólo obtienen una modesta parte de estos intercambios —los cuales entre 1990 y 2000 aumentaron de manera notable—, y África ha quedado claramente al margen de ellos.

Las I.E.D. y las inversiones en cartera

Existen dos tipos de movimientos internacionales de capital: los que se llevan a cabo a través de las inversiones extranjeras directas (I.E.D.), que empresas que desean producir en otros países, y las inversiones en cartera, que se efectúan por parte de empresas o especuladores financieros que desean beneficiarse de las variaciones de los valores de las bolsas mundiales, y obtener beneficios de las fluctuaciones de los tipos de cambio entre las distintas monedas. Así, mientras las inversiones en cartera son inversiones inestables, las I.E.D., son inversiones materiales a largo plazo.

La mayor parte de intercambios se produce esencialmente entre las zonas más desarrolladas, sobre todo entre países geográficamente cercanos. Así, por ejemplo, Europa occidental exporta las dos terceras partes de sus mercancías a otros países de esa misma zona. Norteamérica (Estados Unidos y Canadá) exporta más del 60 % de sus mercancías a su mismo territorio o a Europa occidental.

Asia, cuyo dinamismo exportador se vio esencialmente impulsado durante las décadas de 1970 y 1980 por Japón, y posteriormente, a partir de la década de 1990, por el Sureste asiático y China, contribuye en una cuarta parte al comercio mundial, aunque la mitad de sus exportaciones tienen como destino el mismo territorio asiático. Así pues, la globalización y la regionalización están íntimamente relacionadas.

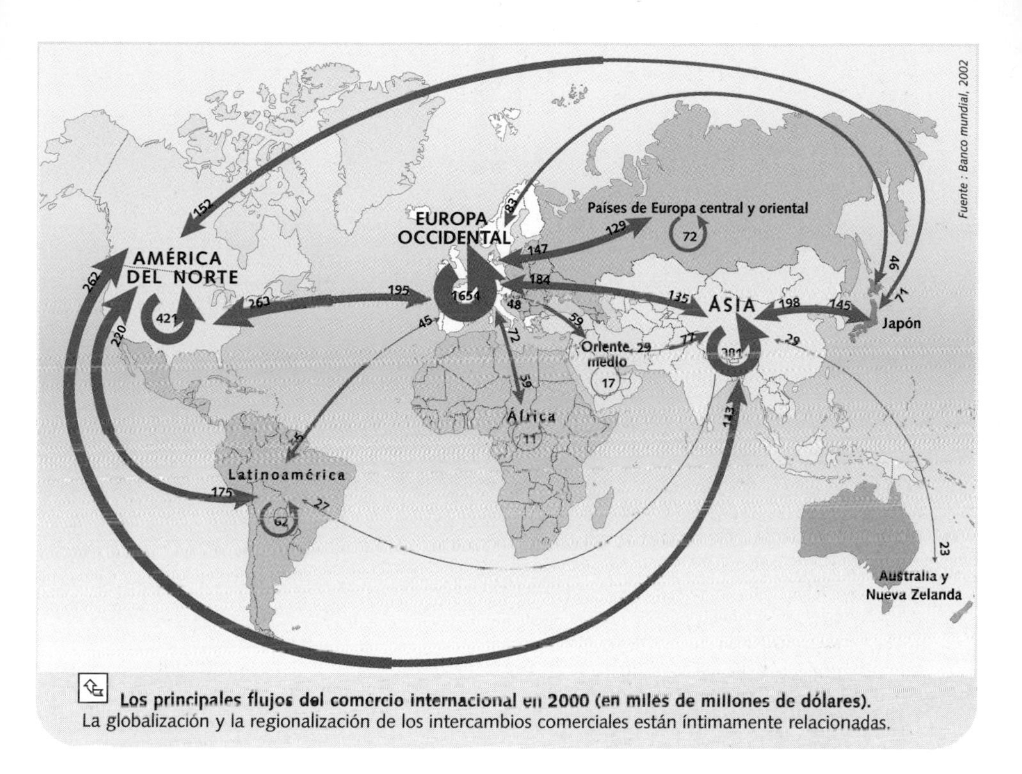

Los principales flujos del comercio internacional en 2000 (en miles de millones de dólares).
La globalización y la regionalización de los intercambios comerciales están íntimamente relacionadas.

La tríada controla el 90 % de las inversiones en el extranjero

El rápido crecimiento de los intercambios comerciales internacionales es, en gran parte, consecuencia del desarrollo sin precedentes que han experimentado las grandes empresas multinacionales tras organizar sus procesos productivos a escala planetaria. Estos grandes grupos empresariales, de todos conocidos, como Ford, Coca-Cola o IBM, se han afincado en varias decenas de países que poseen mano de obra barata y/o amplios mercados potenciales. Sus estrategias de implantación se basan esencialmente en la exportación de capitales a países extranjeros, hecho que se conoce como inversión extranjeras directas (I.E.D.). Entre la década de 1989 y 1999, la I.E.D. experimentó un crecimiento acelerado y sus flujos se multiplicaron casi por diez. En 1989, el valor de capital I.E.D. en manos de empresas extranjeras constituyó el 5 % del producto interior bruto mundial (P.I.B.), y en 1999 alcanzó el 15 %. Aun así, el valor añadido de las 100 principales empresas multinacionales sólo representa actualmente un 4,5 % de dicho P.I.B., lo que indica que la economía mundial no se reduce sólo a la actividad de este capital internacional (véase capítulo 5). En su mayoría, los países inversores son países desarrollados, y concretamente, miembros de la tríada formada por Estados Unidos, Europa occidental y Japón. En 1999, estos países

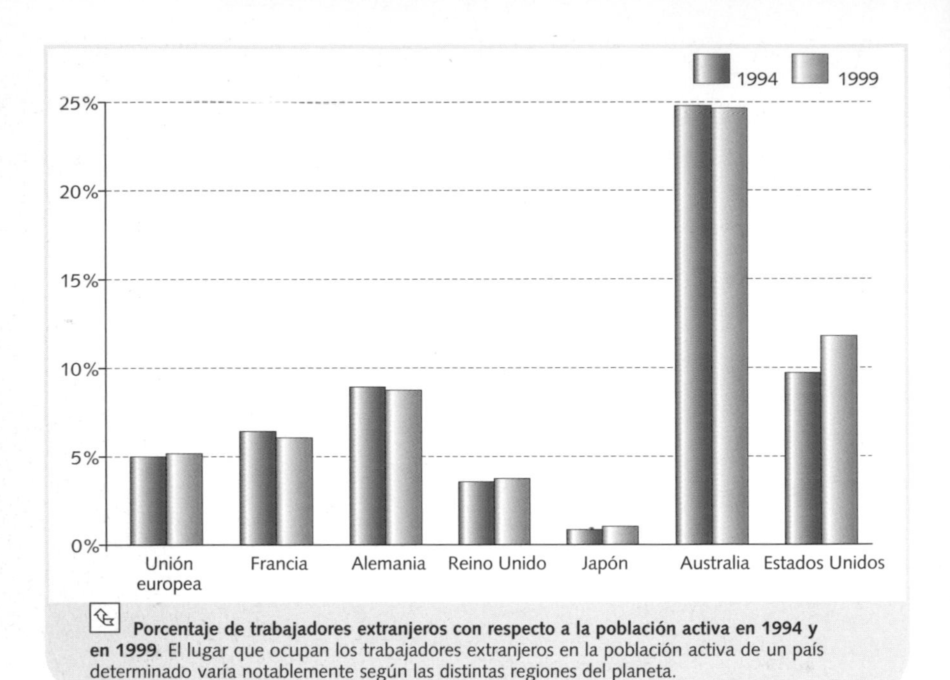

Porcentaje de trabajadores extranjeros con respecto a la población activa en 1994 y en 1999. El lugar que ocupan los trabajadores extranjeros en la población activa de un país determinado varía notablemente según las distintas regiones del planeta.

poseían más del 90 % de las reservas mundiales de este tipo de activos invertidos en el extranjero (a excepción del sector de los organismos financieros), y de éstos, las tres cuartas partes se hallaban invertidas en otros países desarrollados, lo que demuestra que, como en el caso del comercio de mercancías, quienes controlan los movimientos de capitales son principalmente los países ricos. A pesar de ello también es cierto que en la década 1990-2000, algunas regiones emergentes como China y, en determinados años, los países de Latinoamérica, fueron un importante polo de atracción para los capitales extranjeros. En 1998, China atrajo el 31 % del flujo mundial de las I.E.D. destinadas a países no miembros de la O.C.D.E., y Brasil el 22,6 %. Entre los años 1990 y 1998-2000, dicho flujo se multiplicó por diez en toda Latinoamérica y Caribe. Aun a pesar de que los P.E.C.O. (Países de Europa central y oriental) ocupan un lugar bastante modesto en términos absolutos, el aumento del flujo de capital entrante que han experimentado, y que entre 1991 y 2000 se ha multiplicado por 13, es una prueba del creciente interés que tienen las grandes empresas occidentales por estos mercados en proceso de desarrollo.

Salarios entre diez y cuarenta veces superiores

Las mercancías y los capitales se desplazan mucho más fácilmente que los seres humanos. Así, en la década 1990-2000 se contabilizó un total de 125 millones de personas que residían en un país distinto al de su nacionalidad, lo que supone únicamente el 2,1 % de la po-

Tijuana, frontera mexicana: una familia se prepara para entrar en territorio estadounidense.

blación mundial total. Sin embargo, el fenómeno de la migración requiere una especial atención en la medida en que, independientemente de sus aspectos políticos, étnicos y religiosos, refleja algunos de los principales desequilibrios económicos del planeta. Los flujos migratorios apuntan hacia regiones con elevados niveles de vida como Norteamérica, Europa occidental y los países ricos de Oriente medio, así como a los países asiáticos de crecimiento rápido. La posibilidad de encontrar empleo y percibir un salario entre 10 y 40 veces superior al del país de origen ha empujado a los habitantes de los países poco desarrollados a expatriarse, a menudo al precio de sus propias vidas. Por otra parte, la entrada de dichos trabajadores, en su mayoría clandestinos, obliga a los países destinatarios a tomar medidas restrictivas, especialmente en aquellos períodos en los que la coyuntura económica es desfavorable y existe una elevada tasa de desempleo. De ahí que este tipo de flujos migratorios sean difíciles de controlar y que las empresas de los países ricos se aprovechen de la situación proporcionando a los trabajadores clandestinos sueldos inferiores a los que recibirían los trabajadores nacionales. Esta oferta ilegal de trabajo es especialmente poderosa en el sector de la construcción, la confección, la restauración y la agricultura. La proporción de trabajadores de origen extranjero en la población activa varía mucho según las regiones. En Estados Unidos es mucho más elevada que en la Unión europea, y en Japón es bastante reducida. En la Unión europea se pueden observar también diferencias notables, y así por ejemplo, la importancia relativa que tiene la mano de obra extranjera en Alemania es bastante superior a la que tiene en Francia.

Inversiones extranjeras directas en stock

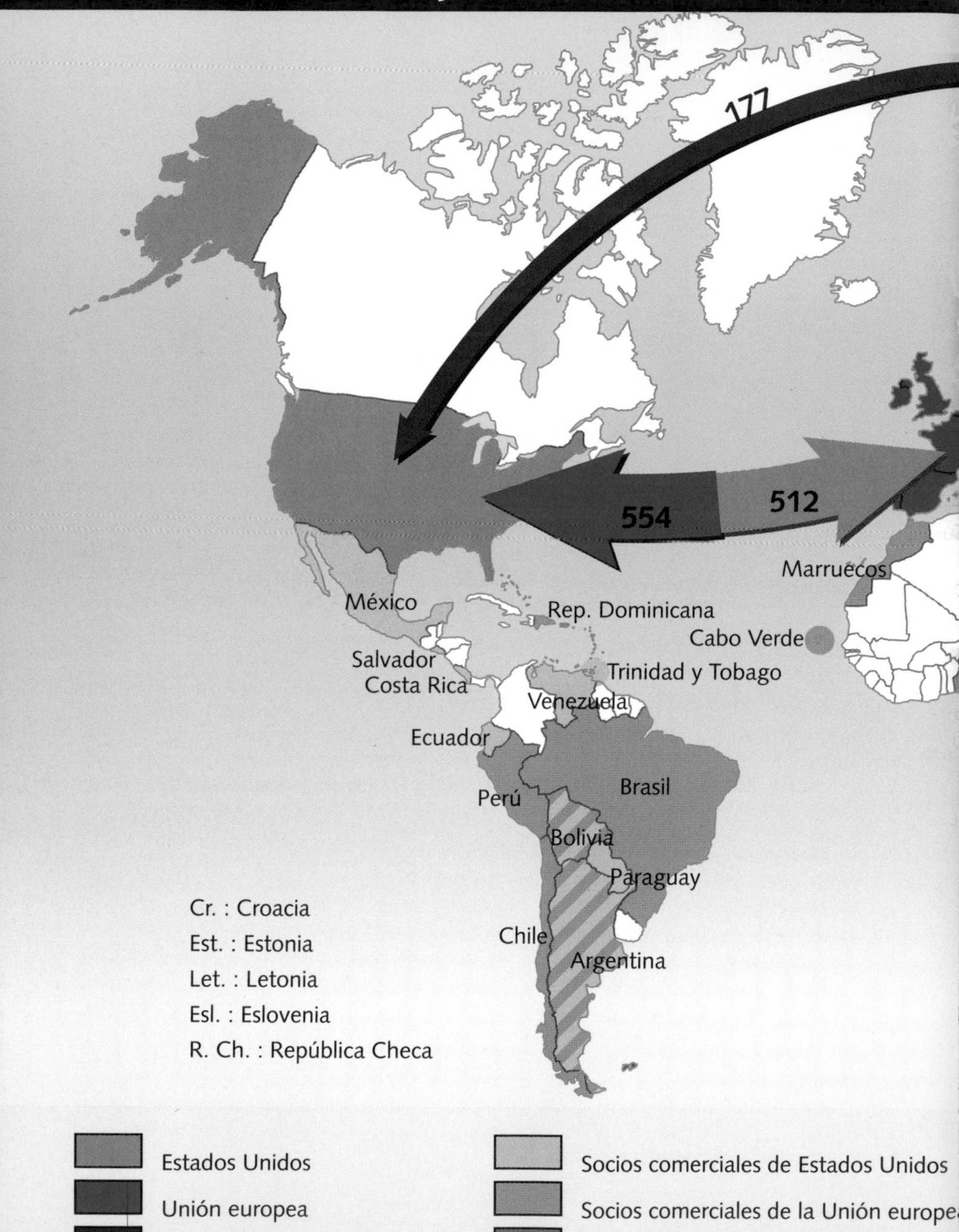

en el seno de la tríada (1999)

Fuente: Naciones Unidas

Socios comerciales de Estados Unidos y la Unión europea

Socios comerciales de Estados Unidos y Japón

Unidades: miles de millones de dólares

La globalización financiera: 1,4 billones de dólares diarios

La circulación de capitales entre países, bajo todas sus formas, y concretamente en inversiones en cartera, experimentó un importante crecimiento desde la década de 1980. Esta globalización financiera se vio favorecida por tres fenómenos conocidos como las tres «D»: desregulación, desprotección (liberalización) y desintermediación (o desestatalización). En efecto, al suprimir determinadas barreras jurídicas, es decir, al desregular, los gobiernos facilitaron la entrada y salida de capitales en sus países. Esta creciente movilidad también fue posible como consecuencia de la supresión de ciertos obstáculos legales que antes impedían la comunicación entre los distintos mercados financieros. Finalmente, los bancos, que son intermediarios financieros, fueron en parte sustituidos en su papel de proveedores de fondos por los mercados financieros (las bolsas). Este movimiento de desintermediación o desestatalización dio lugar, a su vez, a un aumento sin precedentes del volumen de transacciones sobre títulos (acciones y obligaciones) así como a la creación de nuevos instrumentos financieros (opciones, futuros, *swaps*) especialmente concebidos para protegerse ante determinados riesgos. Esta evolución, que hizo que se triplicaran los activos transfronterizos en manos de los bancos entre 1973 y 1998, tuvo también como consecuencia la multiplicación de las operaciones en los mercados de divisas. El volumen diario de estas operaciones pasó de 200 000 millones de dólares a mediados de la década de 1980 a 1,2 billones de dólares en 2000, es decir, el equivalente a las nueve décimas partes de todas las reservas de divisas de los bancos centrales.

El espacio «Schengen»

En 1985, cinco países de la Comunidad europea (los tres países que forman el Benelux junto con Alemania y Francia) firmaron en Luxemburgo el Acuerdo de Schengen, que establecía los principios que debían regir la libre circulación de las personas en el interior de la Comunidad. En 1996, todos los países de la U.E., salvo Gran Bretaña e Irlanda, suscribieron la libre circulación de personas entre los países signatarios y el fortalecimiento de los controles fronterizos para regular la entrada de ciudadanos de países no miembros. De hecho, la aplicación del Acuerdo de Schengen ha resultado ser bastante delicada a causa del aumento del número de inmigrantes procedentes de Asia, de la dificultad de controlar los flujos migratorios y de la perspectiva de integración a la Comunidad de algunos de los países de Europa del Este.

Préstamos y créditos internacionales: el pozo de la deuda americana

Los países endeudados suelen captar fondos acudiendo a los bancos extranjeros o mediante la emisión de bonos suscritos por ciudadanos de otros países. De este modo, se produce un movimiento de capitales entre los países prestadores (los que poseen una abundante masa de ahorro) y los prestatarios (cuyo ahorro es insuficiente). Desde mediados de la década de 1970, Estados Unidos es el principal beneficiario de la mayor parte de las transferencias de capitales, que esencialmente utiliza para compensar su déficit estructural por cuenta corriente. Entre 1993 y 2001, dicho déficit aumentó un promedio de 218 300 millones al año, es decir, más de tres veces el déficit del conjunto de países en vías de desarrollo (P.E.D.). Los títulos de deuda estadounidenses (principalmente bonos del Tesoro) se hallan básicamente en manos de los bancos e inversores privados europeos y japoneses. Sin duda, esta considerable masa de activos en busca de la mejor rentabilidad posible constituye un importante elemento de inestabilidad para el conjunto del sistema financiero mundial.

¿Qué es una balanza de pagos?

La balanza de pagos de un país contabiliza las transacciones con el extranjero. Aunque a nivel contable está equilibrada, permite observar ciertos desequilibrios económicos. Así, si las importaciones superan las exportaciones, el país presenta un déficit por cuenta corriente que debe financiarse. Esta financiación puede realizarse de dos formas que se consignan en la balanza de pagos del país: salidas de divisas y/o ventas de títulos al extranjero (entrada de capitales). Desde mediados de la década de 1970 Estados Unidos se halla en esta situación deficitaria.

El endeudamiento de los P.E.D.: del reciclaje de los petrodólares al crac

Desde la década de 1960, los países en vías de desarrollo (P.E.D.) han estado financiando su desarrollo mediante préstamos externos. Tras la primera crisis del petróleo en 1973, los grandes bancos reciclaron los excedentes de petrodólares acumulados por los países del Golfo Pérsico prestándolos en gran parte a los P.E.D. Pero los préstamos suponían una carga demasiado fuerte con respecto al producto nacional bruto de los países endeudados, y más teniendo en cuenta que las inversiones que se suelen financiar por estos medios son poco rentables. Además, la desproporcionada subida de los tipos de interés en 1979 puso a los P.E.D. en una situación especialmente delicada. Finalmente, la crisis estalló en 1982, tras la declaración por parte de México de su incapacidad de hacer frente a sus compromisos financieros, hecho que fue secundado por la mayor

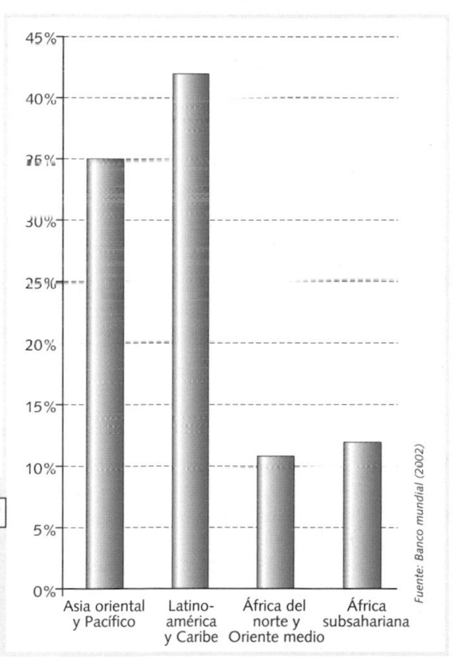

Distribución de la deuda externa de los P.E.D. en 2001. En 1979 estos países se vieron gravemente afectados por la importante subida de los tipos de interés mundiales.

Una empresa de corredores de Bolsa de Bangkok. La crisis, «cuyo efecto» dominó afectó al resto de países de la región, se inició en Tailandia.

parte de países latinoamericanos. Por su parte, los gobiernos de los países industrializados y el Fondo monetario internacional (F.M.I.), que temían que se desestabilizara el sistema financiero mundial, decidieron aplicar entre 1982 y 1989 una serie de medidas encaminadas a espaciar el pago de la deuda, convertirla en acciones y frenar las importaciones (y en consecuencia, el crecimiento) de los países deudores. Finalmente, se logró evitar que se produjera una crisis financiera generalizada, pero a costa de una notable ralentización del crecimiento de los P.E.D.

Los países con una deuda más fuerte con respecto a su producto nacional bruto suelen tener un peso económico bastante modesto, por lo que, en general, su endeudamiento preocupa poco al sistema financiero de los países ricos. Sin embargo, los países de Latinoamérica y Asia, que son los principales deudores, se hallan en la situación inversa: aunque en términos absolutos están fuertemente endeudados, al mismo tiempo, el peso de su deuda con respecto a su producto nacional bruto es menor que en relación a los países que tienen un producto nacional bruto inferior, la mayoría de los cuales se halla en África. En el transcurso de la década de 1990, y a iniciativa de algunos países desarrollados, se decidió condonar parte de la deuda a estos países. Actualmente, una de las principales reivindicaciones de los movimientos antiglobalización es justamente conseguir la anulación total de la deuda de los P.E.D.

Las crisis financieras de la década de 1990

Durante la década de 1990, los países emergentes y en transición se vieron gravemente afectados por los efectos negativos de la globalización financiera, pues cuando los inversores extranjeros dejan de confiar en la solidez de una economía, se llevan sus capitales, provocando el hundimiento del valor de la moneda local así como el debilitamiento del sistema productivo y financiero del país afectado.

Tipos de cambio fijo y flotante

El tipo de cambio de una moneda es el precio que tiene esa moneda en una divisa extranjera, que en general suele ser el dólar estadounidense. En un régimen de cambio fijo, el banco central del país se asegura de que dicho precio se mantenga lo más próximo posible del nivel previamente declarado. Si la moneda es objeto de una ofensiva especulativa, el banco central del país se ve obligado a devaluarla o dejarla flotar. En esta situación de flotación, el precio de la moneda en dólares varía día a día con la oferta y la demanda del mercado de divisas. Y si los operadores financieros no confían en la moneda, la ofertan en cantidades muy elevadas, y el precio se hunde.

El caso de México

Cuando en 1994 México decidió luchar contra el desempleo aumentando el gasto público y la masa monetaria, los mercados consideraron su política como una medida incompatible con un tipo de interés fijo, y la reacción de los inversores fue liquidar inmediatamente los activos que tenían invertidos en este país, lo que dio lugar al hundimiento del peso mexicano, que en dos años perdió un 40 % de su valor. Al final se logró atajar la crisis mediante la ayuda proporcionada por el F.M.I. y Estados Unidos, pero a costa de un severo plan de austeridad basado en una drástica reducción del gasto público y los salarios. A partir de 1996, los inversores volvieron a invertir sus capitales en México.

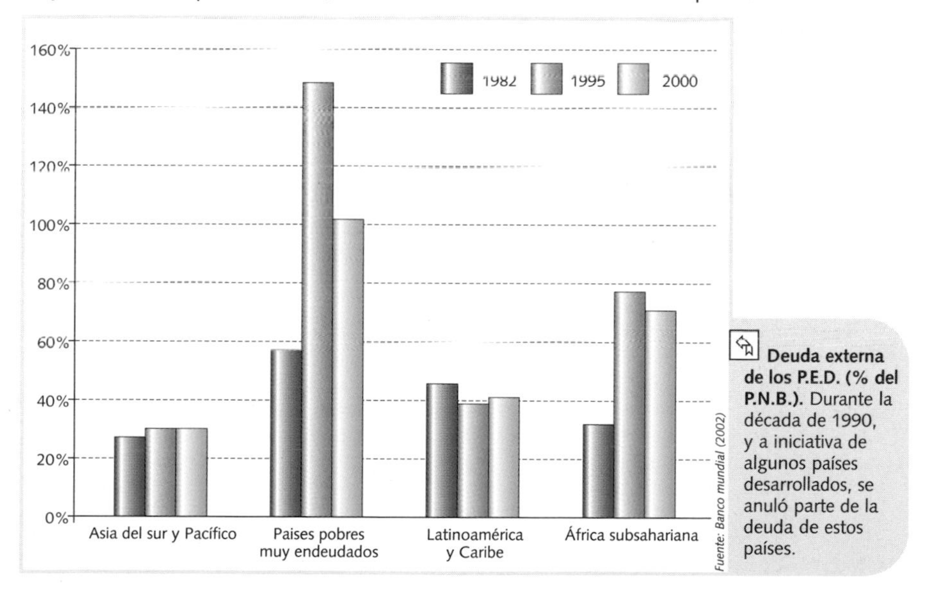

Deuda externa de los P.E.D. (% del P.N.B.). Durante la década de 1990, y a iniciativa de algunos países desarrollados, se anuló parte de la deuda de estos países.

Un banco de Buenos Aires. En enero de 2002, Argentina devaluó el peso en un 29 % poniendo fin así a la paridad que venían manteniendo la moneda argentina y el dólar desde 1991.

La crisis asiática de 1997: la veloz propagación del «efecto contagio»

El proceso de desarrollo de la crisis de 1997 ilustra de manera especialmente impactante los efectos, en ocasiones perniciosos, de la globalización financiera. En esta región del mundo en la que parecía que nunca iba a fallar la confianza de los inversores, de repente se desató una fuerte crisis, básicamente provocada por la especulación y por la debilidad del sistema bancario tailandés. En pocos días, se produjo una fuga de cientos de miles de millones de dólares. En julio de 1997, el baht tailandés fue víctima de una fuerte ofensiva especulativa que obligó al banco central de Tailandia a aceptar la flotación de su moneda. Como consecuencia, en seis meses perdió la mitad de su valor, y el «efecto contagio» hizo que otros países vecinos, como Malaysia, Filipinas e Indonesia, se vieran asimismo afectados por la crisis. Tras verse obligados a reducir sus importaciones a causa de la consiguiente disminución de su actividad económica, estos países vieron cómo las exportaciones de los países vecinos y los capitales, al perder confianza en ellos, también se retiraban de la zona. Esta huida a otros países que se consideraban más seguros tuvo como consecuencia una agudización de la crisis en la que se hallaba Asia.

La crisis argentina: Brasil se toma la revancha

Fuertemente endeudada y sin capacidad para proponer un ajuste presupuestario susceptible de obtener el aval del F.M.I. o del Tesoro estadounidense, Argentina constituye un prometedor negocio para su ex rival brasileño. Y ésta es sin duda la opinión de Eloy Rodrigues de Almeida, presidente del Grupo Brasil, una asociación de 200 empresarios que trabajan actualmente en Argentina. Según él: «Ha llegado el momento de actuar, porque los activos están a buen precio y además sabemos que ya hay empresas norteamericanas sondeando el terreno. Tarde o temprano, el mercado argentino se recuperará, y las empresas brasileñas no pueden dejar pasar una oportunidad como ésta para ampliar su horizonte comercial».

A continuación, y a raíz de todo ello, los mercados financieros empezaron también a desconfiar de determinados países emergentes, por lo que en 1998 la crisis se contagió a Rusia, que tenía una exorbitante deuda pública y carecía de suficientes reservas de divisas. Posteriormente, la desconfianza de los inversores se trasladó a Latinoamérica, lo que provocó en 1999 una grave crisis en Brasil, y posteriormente, en 2001 y 2002, en Argentina.

La crisis argentina y sus ramificaciones

En 1991, el gobierno argentino decidió vincular su moneda, el peso, al dólar americano, con el objetivo de detener la hiperinflación que sufría el país. Aunque en un principio logró el objetivo, la imposibilidad de llevar a cabo una política monetaria autónoma, unida a la sobrevaloración del peso argentino, terminaron por provocar una recesión económica. En 1999, 2000 y 2001 el producto nacional bruto cayó en picado, y en ese entorno fue imposible mantener las cargas vinculadas al pago de la deuda pública y externa. Finalmente, la crisis estalló en diciembre de 2001, después de que el F.M.I. exigiera una reducción drástica del déficit público bajo la amenaza de denegar cualquier tipo de ayuda suplementaria si ésta no se cumplía. A continuación se desató el pánico bancario, se produjo la fuga de capital extranjero, se hundió la moneda, se disparó la inflación y se sucedieron los enfrentamientos callejeros. En definitiva, se produjo la situación habitual de las crisis en los países emergentes.

En otoño de 2002, la mitad de la población argentina estaba viviendo por debajo del umbral de pobreza, el estado había dejado de pagar las pensiones y sueldos de los funcionarios públicos, y la tasa de desempleo alcanzó el 10 %. El «efecto contagio» hizo que la crisis afectara a otros países vecinos, como Uruguay (conocido como «la Suiza de Sudamérica») y Brasil. En esta ocasión, el F.M.I. ofreció un importante volumen de ayuda por miedo a que todo Latinoamérica se hundiera en una crisis comparable a la de la década de 1980.

En suma, pues, la globalización actual de la economía permite a los productores y consumidores de todos los países beneficiarse del acceso a mercancías, servicios y capitales procedentes del extranjero, lo que, en principio, parece un elemento susceptible de contribuir al crecimiento de todos los socios comerciales. Sin embargo, también conlleva una inestabilidad que puede afectar gravemente a las economías más débiles.

La globalización de la economía se remonta al siglo XVI, tal como lo atestiguan algunas economías históricas de alcance mundial como las de China, Occidente o el mundo turcoislámico. Pero hasta el siglo XIX el fenómeno de la unificación no comenzó a perfilar un movimiento irreversible que siguió a la revolución industrial que estaba viviendo Gran Bretaña. Sin embargo, la apertura de los mercados suscitó resistencias que se pueden ver ilustradas en las barreras arancelarias impuestas por británicos, franceses, alemanes y norteamericanos. Pese a las contrariedades por las que pasó durante el período de entreguerras y a raíz del crac de 1929, la globalización parece ir asentándose de manera definitiva, pese a las sucesivas crisis de la década de 1990.

Barco de vapor inglés

Un fenómeno secular

Un fenómeno secular

La globalización de la economía no es un fenómeno reciente. Desde el Renacimiento, una parte importante del desarrollo de Europa se ha basado en el comercio con regiones lejanas.

La exportación de mercancías y capitales vivió su máximo apogeo durante la segunda mitad del siglo XIX. A partir de 1945, y tras la recesión que siguió a las guerras y al crac de 1929, los países occidentales se volvieron a abrir en el marco de un nuevo orden económico internacional que permitía un crecimiento fuerte y regular de los países desarrollados. Pero dicha situación volvió a cambiar a mediados de la década de 1970, con la aparición de nuevos países industrializados y la creciente liberalización del comercio y los capitales, dando lugar a un nuevo crecimiento, pero también a una fuerte inestabilidad.

El gran comercio marítimo, avivado por el descubrimiento de América y por el deseo de expansión colonial de todos los estados, floreció entre finales del siglo XV y durante todo el siglo XVI. El descubrimiento del timón y la brújula hicieron posible las grandes travesías marítimas. Asimismo, la conquista de México y Perú permitió importar metales preciosos cuya acumulación y circulación contribuyeron a impulsar la producción, que por entonces se basaba, en parte, en la existencia de una actividad comercial triangular: la compra de esclavos africanos trasladados a los nuevos territorios permitía también producir a gran escala productos como el azúcar, el tabaco y el algodón cuya comercialización, a cambio de bienes manufacturados europeos, constituía la fuente de sustanciosos

La llegada de los portugueses a Nagasaki en 1593. Los avances de la navegación hicieron retroceder las fronteras del mundo conocido.

beneficios. Esta forma de globalización, basada en la hegemonía europea, permitió a algunos países experimentar una excepcional prosperidad. Así, en la segunda mitad del siglo XVI y durante todo el siglo XVII, las Provincias Unidas (los actuales Países Bajos) se convirtieron en el centro de la economía mundial, siendo posteriormente relevadas por Francia e Inglaterra. A las puertas de la Revolución Francesa, estos dos últimos países controlaban prácticamente una cuarta parte del comercio mundial.

El comercio y el auge del capitalismo

Durante la primera mitad del siglo XIX, a raíz de la Revolución Industrial, la economía de Gran Bretaña experimentó una profunda transformación como consecuencia de la mecanización del sector textil, la introducción de la máquina de vapor, la producción en serie y la construcción de vías férreas. Durante esta fase, y a pesar del progreso industrial del país, los sucesivos gobiernos británicos se dedicaron a proteger su actividad económica mediante derechos de aduana, como en el caso de la agricultura, y concretamente en la producción de cereales, cuyas importaciones estaban sujetas a impuestos estipulados por las *corn laws* o leyes sobre el trigo. A su vez, tanto Francia como Alemania y Estados Unidos aplicaron barreras arancelarias para permitir que su incipiente industria pudiera desarrollarse y protegerse del peligro que suponía la competencia exterior y para garantizar así mismo la entrada de ingresos fiscales regulares.

El comercio y la exportación de capitales (1850-1913)

La segunda mitad del siglo estuvo caracterizada por una mayor apertura económica. Así, a partir de la década de 1940 del siglo XIX y hasta 1913, Gran Bretaña eliminó sus barreras comerciales. En 1860 Gran Bretaña y Francia firmaron un tratado comercial mediante el cual se comprometían a abolir todas las prohibiciones y a eliminar o reducir sus derechos de aduana. Este tratado, que establecía un estrecho vínculo entre las dos principales potencias económicas del momento, dio lugar a un proceso de liberalización en toda Europa. A pesar de que muchos países, entre ellos Alemania y Francia, volvieron a poner barreras a la importación a partir de 1879, la reducción de los costes de transporte y el crecimiento experimentado a principios del siglo XX tuvieron un efecto positivo que contrarrestó las medidas proteccionistas. Finalmente, y a pesar del mantenimiento de algunas barreras comerciales, el volumen de intercambios comerciales en la producción mundial aumentó de forma considerable a

Michel Chevalier (1806-1879), sansimoniano y ferviente seguidor del librecambismo, fue uno de los artífices del tratado de libre comercio que firmaron en 1860 Francia y Gran Bretaña.

lo largo de todo el siglo. Así por ejemplo, en su obra *Victoires et déboires, histoire économique et sociale du monde du XVIe siècle à nos jours*, de 1997) P. Bairoch calcula que en Europa las exportaciones constituían hacia 1830 alrededor del 2 % de la producción, porcentaje que hacia 1860 era del 9 % y en 1913 del 14 %, es decir, una tasa de crecimiento que no volvió a repetirse hasta la década de 1970. En este sentido, la globalización de principios de siglo nada tiene que envidiar a la actual, y más teniendo en cuenta que, de modo paralelo, empezaron a aumentar los flujos internacionales de capitales. Así, Gran Bretaña, que fue el principal país en inversiones al extranjero a lo largo de todo el siglo, en 1914 poseía el 41 % de los activos internacionales, por delante de Francia, propietaria de sólo el 20 %. Mientras que los británicos esencialmente invirtieron sus reservas en la financiación de infraestructuras de países nuevos y desarrollados, Francia, por su parte, invertía en Europa, y principalmente en Rusia, a la que concedió numerosos préstamos que, como es bien sabido, fueron posteriormente fuente de importantes desengaños.

La sustitución de la navegación a vela por la navegación a vapor contribuyó notablemente a la reducción del coste del transporte marítimo, que entre 1820 y 1913 se redujo a una séptima parte.

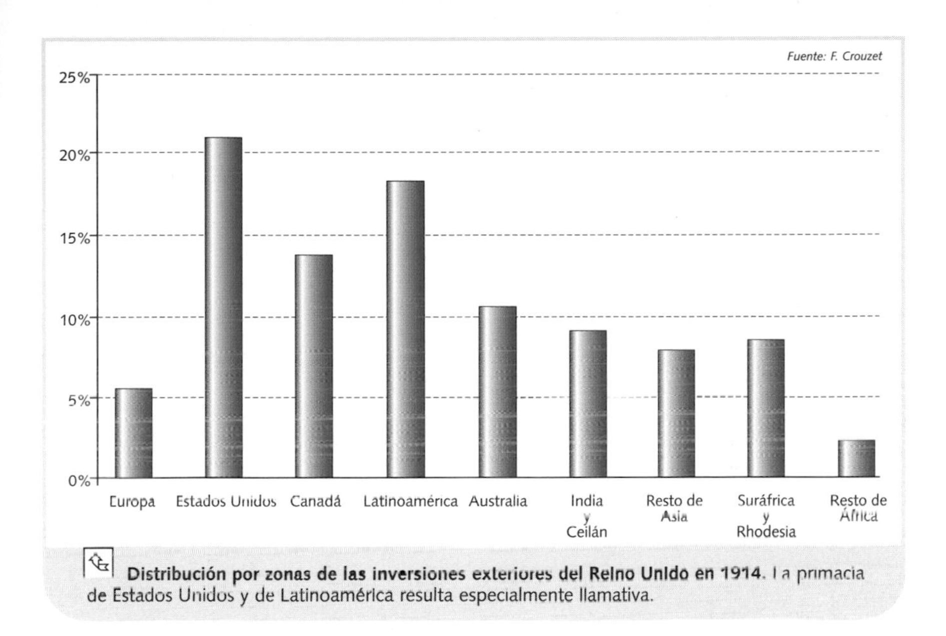

Distribución por zonas de las inversiones exteriores del Reino Unido en 1914. La primacía de Estados Unidos y de Latinoamérica resulta especialmente llamativa.

En ese momento, dichas inversiones tuvieron un efecto sumamente positivo para los países inversores. En Gran Bretaña, por ejemplo, sólo los beneficios obtenidos por los propietarios de títulos extranjeros entre 1890 y 1914 representaron el 8 % de su P.N.B., lo que permitió a dicho país obtener un sustancioso superávit en su balanza de pagos por cuenta corriente.

La recesión del período de entreguerras

El primer conflicto mundial provocó el hundimiento de la actividad económica tanto en el interior de Europa como fuera de sus fronteras, pues las hostilidades también se trasladaron al mar. Por el contrario, y gracias a la guerra, el comercio de Estados Unidos así como el de Japón y Latinoamérica experimentó un crecimiento muy superior al del período anterior. Después de 1918, y durante el período de reconstrucción, las tensiones inflacionistas y los problemas derivados de la gestión de las deudas de guerra hicieron peligrar el sistema monetario internacional y el crecimiento económico. Sin embargo, gracias, en parte a las políticas de estabilización aplicadas, a finales de la década de 1920 volvió a reactivarse la economía. En este clima de optimismo, el crac de 1929, producto de una oleada especulativa en la bolsa de Nueva York, supuso un duro golpe. Tras extenderse a Europa, la crisis provocó el hundimiento de la producción, de los salarios y los precios en los principales países industrializados. Entre 1928 y 1932, la producción industrial mundial experimentó un descenso del 26 %, que en Estados Unidos alcanzó el 50%, al tiempo que el desempleo aumentaba hasta llegar a afectar al 40 % de la población activa.

El jueves 24 de octubre de 1929 se hundieron los valores bursátiles de Wall Street. Esta fecha marca el inicio de la crisis de 1929 cuyos efectos se hicieron sentir en el mundo entero.

La crisis de 1929 y las tendencias proteccionistas

Para escapar a la crisis, los gobiernos decidieron aplicar políticas para contener los efectos negativos debido a la reducción de la actividad de sus socios comerciales. Así, para favorecer las exportaciones devaluaron sus monedas e impusieron barreras arancelarias a las importaciones para proteger los mercados interiores. En 1931, Gran Bretaña decretó la flotación de la libra y en 1933 y 1934 Estados Unidos devaluó su moneda, siendo secundado en 1936 y 1937 por Francia. Además, en 1930 Estados Unidos aprobó la ley Smoot-Hawley que establecía un arancel único del 40 % sobre todos los productos, lo que desató en Europa una oleada de medidas de protección. Así, Francia fijó una cuota de importaciones e impuso un gravamen a aquéllas procedentes de los países que habían devaluado. Gran Bretaña, que desde 1921 había roto con su tradición librecambista, en 1931 y 1932 reforzó sus medidas proteccionistas. La caída del comercio mundial fue espectacular y los países industrializados se confinaron a sus zonas de influencia: Francia, a su imperio colonial, y Gran Bretaña a los países de la Commonwealth.

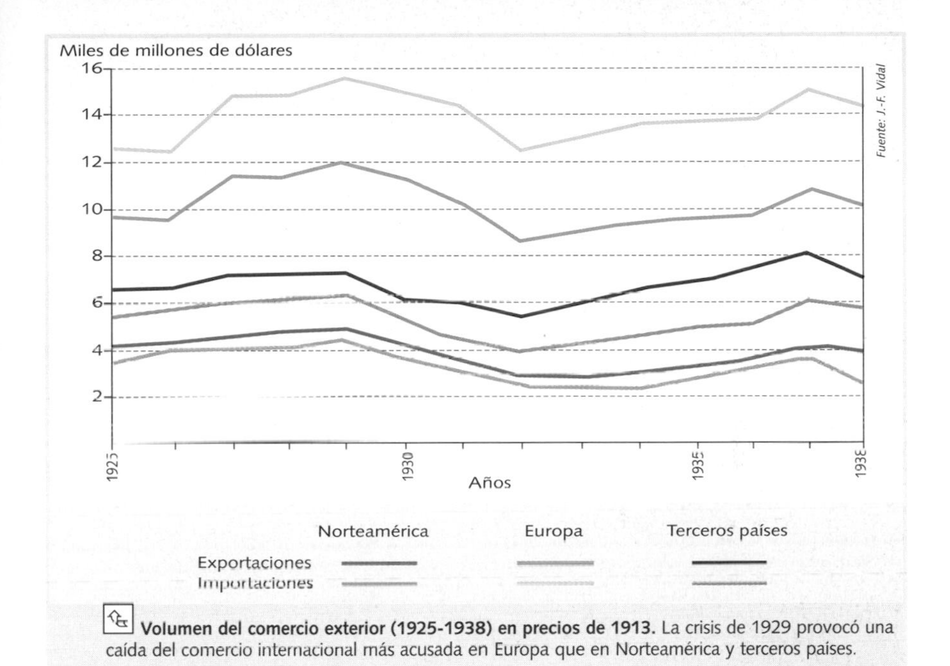

Volumen del comercio exterior (1925-1938) en precios de 1913. La crisis de 1929 provocó una caída del comercio internacional más acusada en Europa que en Norteamérica y terceros países.

El sistema mundial de la posguerra

El hundimiento de la producción y las crisis monetarias de la década de 1930, que favorecieron la llegada al poder de regímenes fascistas en toda Europa, fueron indirectamente responsables de la segunda guerra mundial. Ello hizo que en 1945 los gobiernos de los países occidentales adoptaran políticas macroeconómicas de corte keynesiano y resolvieran cooperar entre ellos mediante la creación de instituciones financieras multilaterales.

Los acuerdos de Bretton Woods de julio de 1944 supusieron la instauración de un nuevo sistema monetario internacional basado en los tipos de cambios fijos, así como la creación del F.M.I. (Fondo monetario internacional) cuya misión era triple: por un lado, debía velar por la estabilidad de los tipos de cambio; por otro, garantizar la convertibilidad de las monedas y, finalmente, ayudar a los países con déficits temporales de su balanza por cuenta corriente mediante la concesión de préstamos a corto plazo. De modo paralelo, los gobiernos implicados decidieron imponer la liberalización del comercio mediante la ratificación, en 1947, del acuerdo general sobre aranceles aduaneros y de comercio (más conocido como G.A.T.T.: *general agreement on tariffs and trade*). Este acuerdo, que fue sucesivamente renovado hasta 1994, sirvió de marco para las posteriores negociaciones comerciales multilaterales sobre la reducción de barreras arancelarias.

El keynesianismo

El keynesianismo es una doctrina basada en el pensamiento del economista británico John Maynard Keynes (1883-1946) que rechaza la visión puramente liberal según la cual las crisis económicas son un mal necesario y que la reactivación económica depende únicamente de los mecanismos del mercado. Para Keynes, en cambio, no puede haber recuperación económica sin la intervención del estado. Así, para salir de una recesión, los poderes públicos deben reactivar la economía realizando un gasto suplementario. Asimismo, considera que garantizar la estabilidad económica es competencia del estado. El pensamiento económico contemporáneo es deudor de Keynes en la medida en que utiliza esencialmente el análisis de las cantidades globales y que ha devuelto el protagonismo a los razonamientos monetarios. En el ámbito de la política económica se suele hablar a menudo de «revolución keynesiana» ya que la preocupación por el pleno empleo se ha convertido en una de las prioridades de todos los gobiernos, e incluso se menciona en la Carta de Naciones unidas. Se puede decir que Keynes abrió el camino a una «política intervencionista racional y cuantitativa».

Librecambismo controlado y crecimiento: los «gloriosos treinta»

Entre 1945-1975 hubo un período de treinta años, conocidos como los «gloriosos treinta», durante los cuales la producción mundial creció de un modo sostenido y considera-

Crecimiento del volumen de producción y exportaciones mundiales durante el período 1950-1974. Las exportaciones mundiales aumentaron, sobre todo a partir de la década de 1960, impulsadas esencialmente por las grandes rondas del G.A.T.T. (la ronda Dillon en 1960-1961, la ronda Kennedy en 1962-67, y la ronda Tōkyō en 1973-1979). Entre 1946 y 1975, la tasa media de protección arancelaria se dividió por diez.

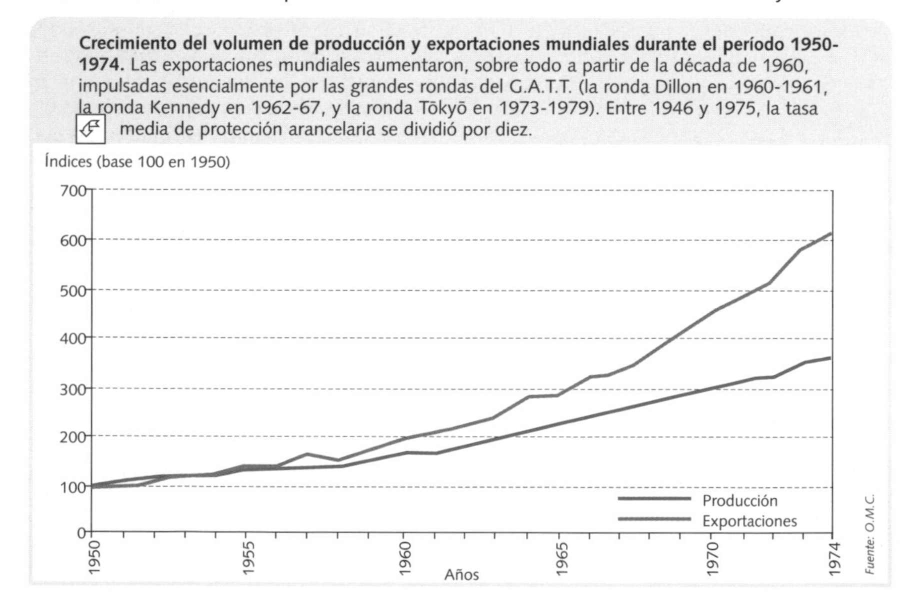

ble, el comercio mundial se extendió y las economías se fueron abriendo progresivamente al capital extranjero. La crisis de 1929 quedaba atrás, y el sistema de economía de mercado, controlado por un estado encargado de regular y redistribuir en el interior de su propio país y cooperar fuera de sus fronteras, fue visto como la clave de la prosperidad, por lo menos en los países más desarrollados. Así, en treinta años la producción se multiplicó por 3,6 y el comercio experimentó un crecimiento aún más rápido al multiplicarse por 6.

A pesar de ello, las causas de la inestabilidad no habían desaparecido del todo. Los tipos de cambio fijos se vieron amenazados por la existencia de ritmos de inflación distintos en los diversos países, lo que llevó a los estados respectivos a devaluar o revaluar sucesivamente sus monedas. Estos reajustes dieron pie a una especulación desestabilizadora al tiempo que introdujeron un importante factor de incertidumbre en el comercio mundial. Además, la doble función del dólar americano como moneda de Estados Unidos y de liquidez internacional provocó numerosas disfunciones, pues las necesidades de dólares derivadas de los intercambios comerciales no necesariamente coincidían con los objetivos de la política monetaria estadounidense.

El giro de la década de 1970

La primera crisis del petróleo de 1973 coincidió con el abandono de los tipos de cambio fijos provocado por la crisis de confianza de los operadores internacionales con respecto al dólar. Se inició entonces un período de turbulencias económicas marcado por la ralentización del crecimiento en Occidente y por el surgimiento de nuevos países que podían competir con Europa y Estados Unidos en determinados mercados de productos manufacturados, así como por la inestabilidad de los tipos de cambio. Empezaron a surgir profundos desequilibrios pues la deuda externa de Estados Unidos, provocada por el déficit estructural de su balanza de pagos por cuenta corriente, constituía una fuente de inestabilidad para el sistema financiero mundial. La flexibilidad de los tipos de cambio, que ya se había experimentado en las décadas de 1920 y 1930, se tradujo en una serie de acentuadas fluctuaciones a corto plazo, así como en largos períodos de apreciación y depreciación de la moneda dominante, el dólar. Estos largos ciclos de fluctuaciones están estrechamente relacionados con la política monetaria y presupuestaria de Estados Unidos así como con las señales mandadas por las cumbres del G8 (hasta 1997 fue G7, desde entonces Rusia es un miembro regular) y las previsiones de los mercados financieros internacionales. Pero dicha inestabilidad no frenó el comercio mundial, cuyo volumen se multiplicó por 3,5 entre 1975 y 2001 a pesar de que, durante el mismo período, la producción total apenas se duplicó.

Esta apertura de las economías hacia el exterior fue esencialmente consecuencia del proceso de liberalización impulsado por el G.A.T.T. así como del dinamismo de la exportación por parte de los países emergentes, y concretamente los asiáticos, y del aumento de las importaciones de determinados países como Estados Unidos. Durante la década de 1990, el crecimiento de la producción en la O.C.D.E. fue muy distinto según los países. Así, la increíble vitalidad de Estados Unidos contrastó con el débil crecimiento de Europa y la fuerte recesión de Japón.

La internacionalización del capital

Entre 1950 y mediados de la década de 1970, las inversiones internacionales se multiplicaron por seis y aproximadamente la mitad de los activos extranjeros se hallaban en manos de Estados Unidos. Durante las décadas de 1980 y 1990, el volumen de inversión extranjera directa creció de media mucho más rápidamente que el comercio y la producción, hasta alcanzar en 1980 el 5 % del P.N.B. mundial y en 1999 el 15 %. Esta internacionalización de las empresas fue básicamente consecuencia de la liberalización del capital, de la constitución del mercado único europeo, y del temor a una intensificación de las medidas proteccionistas y de las estrategias de fusión-adquisición. Así, en 1999, Estados Unidos sólo poseía una cuarta parte de los activos mundiales en contraposición con Europa, que se hallaba en posesión de la mitad.

La deuda externa

En la década de 1970, el excedente de dólares resultante del aumento del precio del petróleo se invirtió en los países en vías de desarrollo que no disponían de ahorro suficiente para financiar sus inversiones. A pesar de ello, siguieron en una situación frágil. La nueva política monetaria adoptada por Estados Unidos en 1970 dio lugar a una subida de los tipos

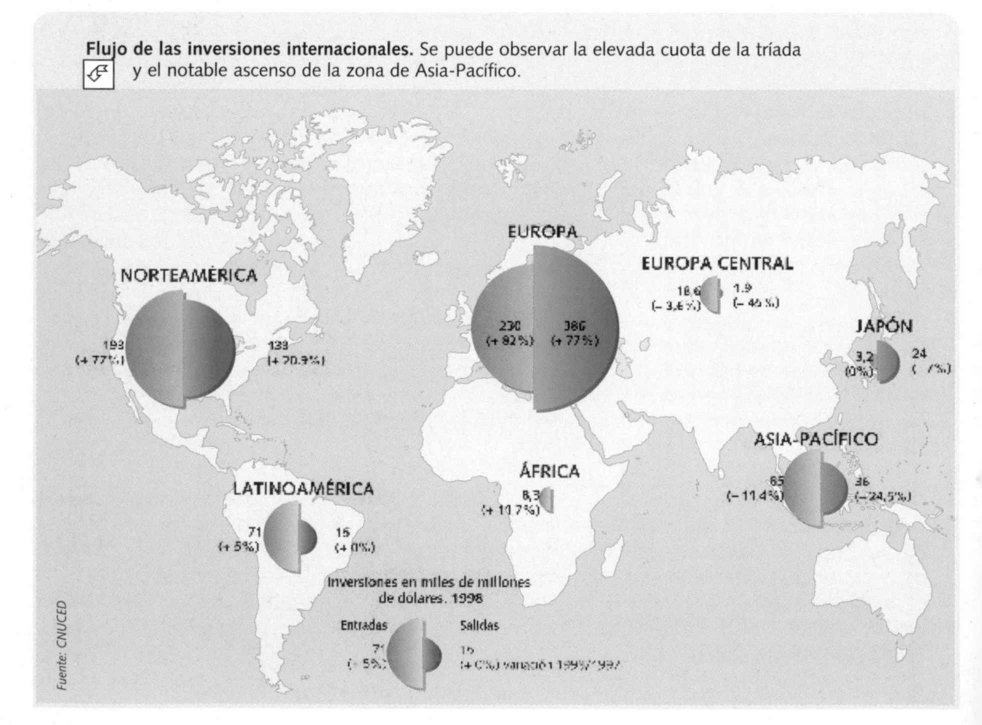

Flujo de las inversiones internacionales. Se puede observar la elevada cuota de la tríada y el notable ascenso de la zona de Asia-Pacífico.

Fuente: CNUCED

La crisis económica mexicana de 1982. El déficit público y la inflación sumieron al país entero en una profunda depresión.

de interés mundiales que sumió a dichos países en una situación cercana a la suspensión de pagos. En 1982 estalló la crisis en México, y pronto se extendió a toda Latinoamérica. Ante ello, los organismos internacionales impusieron drásticas medidas de austeridad y, aunque lograron evitar el hundimiento del sistema financiero mundial, fue a costa de una radical reducción de la actividad en los países emergentes, así como de una cesión importante de su capital a los países desarrollados. Así pues, las crisis de la década de 1990 no constituyeron únicamente una simple repetición de las que se habían producido a principios de la década anterior, sino que su gravedad y la rapidez con que cambiaron las situaciones fueron consecuencia de la globalización financiera, que permite un desplazamiento mucho más rápido de los fondos entre los distintos países.

El mundo de finales del siglo XX es un espacio económico complejo en el que las mercancías y los capitales circulan con una libertad mucho más importante que hace 25 años, lo que permite que algunos países desarrollados y emergentes experimenten fases de expansión acelerada. Sin embargo, el fortalecimiento de los vínculos entre las distintas naciones, unido a la movilidad del capital y a la definición de estrategias empresariales a nivel planetario, contribuyen a incrementar las causas de inestabilidad, cuyos síntomas más visibles son crisis como las que se desencadenaron durante la década de 1990.

Aunque la globalización deja en manos de los mercados mundiales el poder de garantizar su regulación, éstos compiten con distintas estructuras organizativas como las constituidas por la O.M.C., el F.M.I. o el Banco mundial. En esta lucha por la regulación, los estados siguen jugando un papel importante, a pesar de que los límites del mercado internacional trascienden las fronteras nacionales. En consecuencia, las barreras arancelarias contribuyen a proteger a los sectores amenazados por la competencia internacional. Pero es justamente en los países en vías de desarrollo donde la globalización plantea con mayor urgencia el problema de la regulación pues, ¿qué tipo de protección hay que adoptar para evitar sucumbir a la competencia desenfrenada de los países más desarrollados?

Edificio de la O.M.C.

Implicaciones económicas

Implicaciones económicas

La globalización económica es, en parte, consecuencia del comportamiento de los productores que buscan las mejores condiciones para revalorizar su capital, lo que puede llevarles a hallar oportunidades en el mercado mundial y a utilizar bienes extranjeros y/o mano de obra también extranjera.

Puesto que la apertura de una economía al exterior no presenta únicamente ventajas, los estados pueden optar por proteger determinados sectores económicos que consideran claves, ya sea a nivel de crecimiento y/o de independencia política y nacional. Asimismo, tanto la magnitud como las distintas formas que adopta la internacionalización de la circulación de bienes, servicios y capitales dependen de la intervención de organismos internacionales como la Organización mundial del comercio (O.M.C.), el Fondo monetario internacional (F.M.I.) y el Banco mundial (B.M.).

Los productores

La búsqueda de la máxima rentabilidad, con el fin de obtener buenos resultados y dar confianza a los accionistas, suele llevar a los productores a participar en el mercado mundial, pues permite reducir costes y hallar más y mejores oportunidades comerciales.

Las ventajas del comercio internacional

Las empresas de un país exportan aquellos bienes que resultan económicamente ventajosos para dicho país. Según las teorías del comercio internacional, la especialización beneficia a todos los agentes económicos: al país exportador, que así rentabiliza su producción en un mercado amplio, y a los importadores, que de este modo pueden disponer de mercancías producidas en las mejores condiciones posibles. Una buena utilización de los factores económicos a nivel mundial requiere que todos los agentes participantes renuncien a producir determinados bienes y en su lugar los importen. Así, para cualquier país la exportación y la importación son dos elementos complementarios e imprescindibles para garantizar el enriquecimiento de todas las partes implicadas.

Los condicionantes de la especialización

Todos los países disponen de ciertas ventajas con respecto a la exportación. Éstas pueden venir dadas por su clima, por la fertilidad de su suelo o por la riqueza de su subsuelo. En cuanto a aquellos bienes cuya tecnología de producción es conocida por todos los países, aquéllos que posean mano de obra barata serán los que tendrán mayores posibilidades de

Planta de montaje Boeing en Seattle. El vigor de la industria aeronáutica estadounidense es una muestra del protagonismo de Estados Unidos en la globalización económica.

imponer su producto, sobre todo si pueden obtener economías de escala. Es decir, producir en serie y en grandes cantidades para un mercado amplio permite reducir el coste unitario y poder así exportar más fácilmente. Sin embargo, con respecto a aquellos bienes más sofisticados, cuya elaboración requiere fuertes inversiones en I+D (Inversión y Desarrollo), como la aeronáutica, la informática o la farmacia, tanto su producción como su exportación se hallan en manos de las grandes empresas de los países tecnológicamente más avanzados. Pese a ello, la competencia internacional no se basa únicamente en diferencias de precio. Así, la capacidad de las empresas para diversificar sus bienes y servicios ofreciendo modelos y tipos de servicios distintos a los de la competencia, también puede contribuir a aumentar las exportaciones de un país. En este caso se habla de comercio basado en la diferenciación del producto. A nivel intraeuropeo, el comercio del sector automovilístico o de electrodomésticos constituye un ejemplo de este tipo de intercambios.

¿Quién exporta qué?

Los países de la tríada poseen diferentes estructuras de exportación a pesar de sus niveles similares de desarrollo. Así, Japón exporta pocos servicios, pero está especializado en determinados bienes manufacturados (automóviles y electrónica); Estados Unidos exporta bienes agrícolas, servicios y productos aeronáuticos. Europa, está especializada en agricultura (cuya producción potencia la P.A.C. o política agrícola comunitaria), en aeronáutica, química y mecánica (máquinas-herramienta) y en servicios. Tanto Estados Unidos como Europa son, en cambio, grandes importadores de productos electrónicos procedentes de Japón y del Sureste asiático.

Los países de Asia, salvo Japón, están especializados en bienes manufacturados tradicionales (textiles, cuero), en electrónica, agricultura, y algunos en hidrocarburos. Sus exportaciones se derivan de sus ventajas naturales de una mano de obra barata que les permite competir con éxito con los países desarrollados en sus propios mercados.

Los países de Latinoamérica exportan bienes manufacturados tradicionales, así como productos agrícolas y siderúrgicos, automóviles, y en algunos casos hidrocarburos. Una parte de estas exportaciones procede de filiales de empresas norteamericanas y europeas.

Distribución de las exportaciones en 2000. Las siglas «P.E.C.O.» designan a los países de Europa central y oriental, es decir, de la Europa del Este, los países bálticos y los miembros de la Comunidad de estados independientes (C.E.I.).

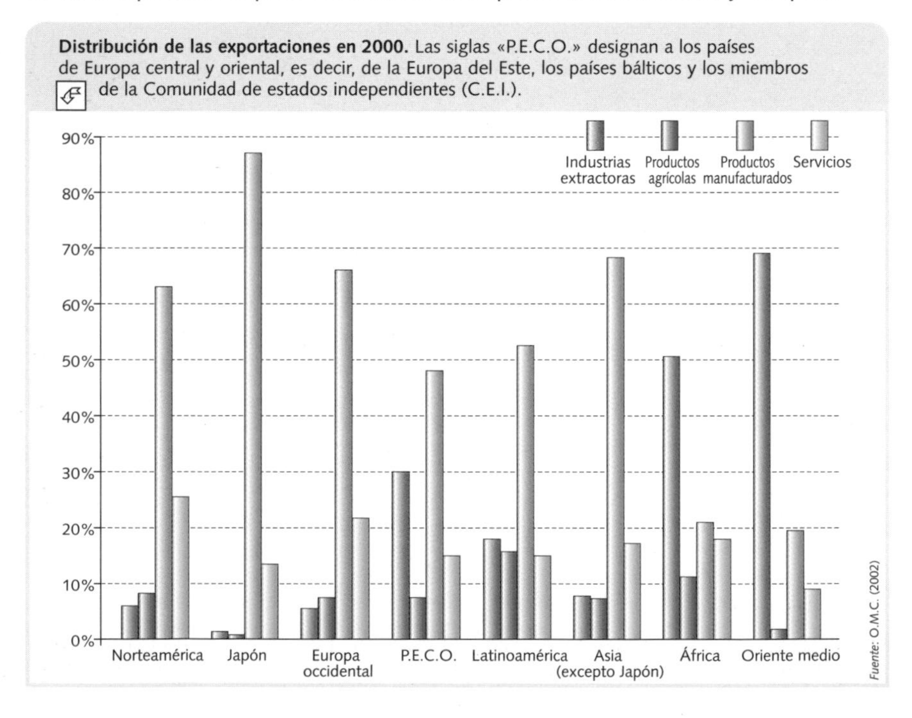

Fábrica Samsung, en Corea del Sur. Los países asiáticos suelen emplear un elevado porcentaje de mano de obra femenina.

Los países del Golfo Pérsico están totalmente especializados, dada su ventaja natural, en la exportación de petróleo y gas natural. La fluctuación de la cotización mundial de estos dos productos primarios tiene un efecto directo sobre los ingresos por exportaciones de esta región del mundo.

Las empresas multinacionales, principales artífices de la globalización

Las grandes empresas establecidas en un gran número de países contribuyen de manera decisiva al desarrollo del comercio mundial y organizan sus procesos de producción a nivel planetario aprovechándose de las ventajas que les proporcionan las distintas naciones en las que operan. Según estimaciones de la O.N.U., en 1999 había un total de 63 000 multinacionales con 690 000 filiales extranjeras, y las 100 primeras, en términos de activos extranjeros, llevaron a cabo el 16 % de todas las ventas mundiales. Su empresa matriz suele tener su sede en los países desarrollados y sus sectores de actuación preferidos son los productos electrónicos, el sector automovilístico, el petróleo y la distribución. Por otra parte, la actual tendencia a la liberalización propiciada por la O.M.C. fomenta la deslocalización del capital en el sector terciario.

¿Por qué recurren a la deslocalización las empresas?

La creación de filiales en el extranjero, que tradicionalmente fue potenciada por la necesidad de controlar los recursos naturales, encontrar mano de obra no muy cara y aprovechar las oportunidades de negocio, depende actualmente de otros muchos factores. Actualmente, la política de estados en materia de implantación de capital extranjero juega un papel determinante, mientras que la tendencia predominante, y especialmente, en los países emergentes de Latinoamérica y Asia, consiste en intentar atraer dichos capitales. Además, tanto la estrategia de muchas empresas en materia de organización de la investigación, como la reciente carrera hacia las fusiones-adquisiciones han contribuido durante la década 1990-2000 a acelerar el proceso de multinacionalización del capital.

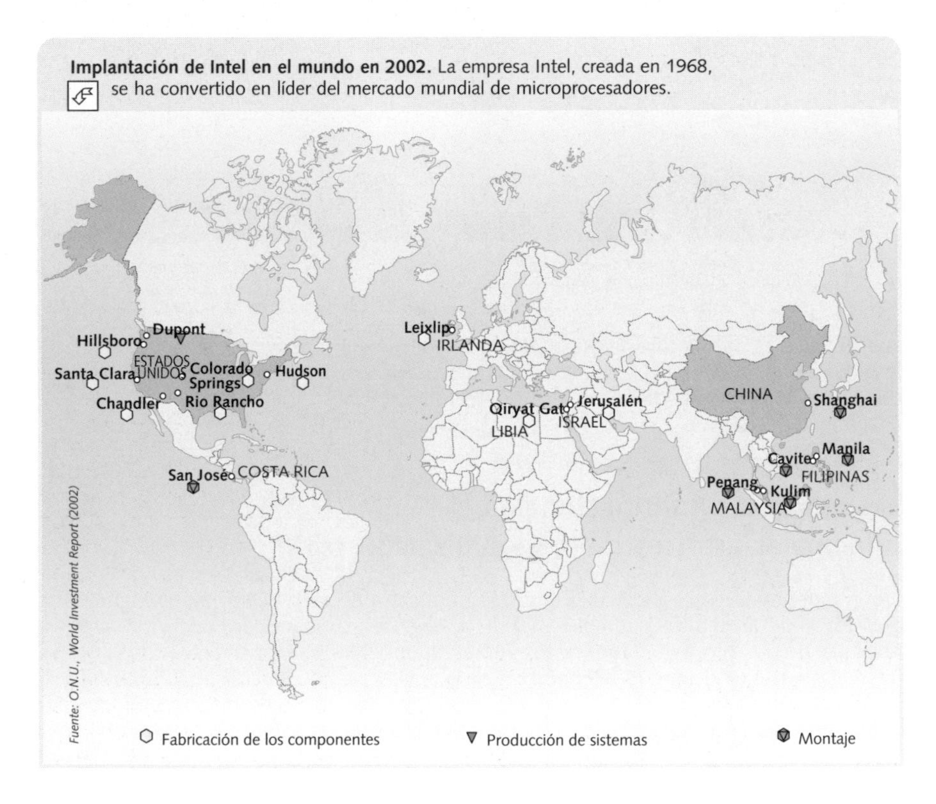

Implantación de Intel en el mundo en 2002. La empresa Intel, creada en 1968, se ha convertido en líder del mercado mundial de microprocesadores.

El impacto de las multinacionales en la economía del país de origen

Las empresas pueden perjudicar a la economía de su país de origen al deslocalizar parte de su actividad al extranjero, si dicho traslado se salda con una reducción del empleo y las exportaciones. Este argumento ha sido frecuentemente utilizado, sobre todo en ciertos países industrializados, para justificar determinadas formas de proteccionismo, pues aunque es cierto para algunos sectores concretos, como el textil o el siderúrgico, no se puede aplicar de manera general. De hecho, entre 1980 y 1999 se ha constatado que las empresas que tienen una mayor implantación en el extranjero son también las que exportan más. Esta complementariedad entre comercio y deslocalización puede explicarse esencialmente a raíz de los vínculos técnicos que existen entre la compañía matriz y sus filiales, así como por el efecto de contagio en los países de implantación de los productos vendidos por las filiales.

El informe Arthuis

En 1993 se publicó en Francia un informe de la comisión financiera del senado, presidida por el senador Jean Arthuis, que advertía sobre el peligro que suponía a principios de la década de 1990 para la Unión europea la competencia de los países del sur y de Europa del Este. Según dicho informe, la deslocalización del capital sólo aumentaba las dificultades en la industria y en los servicios. En consecuencia pedía a la Comisión de Bruselas que reforzara las medidas de protección.

Las empresas multinacionales y los países en desarrollo (P.E.D.)

A menudo se suele acusar a los principales grupos industriales de los países desarrollados que se establecen en los P.E.D. de explotar a dichos países en la medida en que su único objetivo es obtener el máximo beneficio sin tener en cuenta los intereses reales del país afectado. Así, al orientar la especialización hacia aquellos productos de exportación de precios altamente inestables y poco remuneradores para el país, y al captar los recursos de capital y mano de obra que contribuían a su desarrollo, se entiende que dichas empresas obstaculizan el proceso de crecimiento en los países en los que crean filiales.

Asimismo, a menudo participan de un modo más o menos encubierto en la explotación de la mano de obra infantil, una fuerza de trabajo poco costosa y desprotegida, especialmente en algunos países asiáticos. Aunque es cierto que dichas críticas no pueden aplicarse a todas las empresas, aquellas tareas de producción para las que el coste de mano de obra es determinante suelen estar localizadas en países con bajos salarios como lo indica, por ejemplo, la elección de las ubicaciones de la empresa informática Intel.

El capital extranjero en Argentina

En la década de 1990 Argentina fue uno de los países emergentes que estimuló la entrada de capital extranjero, y especialmente el procedente de la Unión europea. En 2000, el 49 % de la I.E.D. entrante procedía de la U.E. (con un 28 % de España) y el 31 % restante de Estados Unidos. Entre las empresas cuyos valores ocupaban los primeros puestos del mercado argentino figuraban Telefónica, Shell, France Telecom, Ford, Carrefour, Fiat, Coca-Cola, Volkswagen, Renault, Iberia y Unilever. La crisis desencadenada en 2001-2002 provocó un drástico repliegue de las empresas extranjeras y el flujo de I.E.D. entrante pasó de 24000 millones de dólares en 1999 a sólo 2000 en 2001.

Aquellas personas que defienden la libre circulación de capitales suelen replicar a estas críticas diciendo que las empresas multinacionales aportan sus conocimientos, experiencia y tecnología, que contribuyen a paliar la falta de capital local y que redistribuyen el poder, todo lo cual permite, además, que el país receptor despegue económicamente. La realidad, sin embargo, es que durante el período 1980-2000 un elevado número de países emergentes o en transición han intentado, acertada o desacertadamente, atraer los capitales extranjeros, y especialmente en el momento en que sus respectivos gobiernos habían decidido privatizar la totalidad o parte de sus sistemas productivos.

Los grandes bloques económicos

T.L.C.A.N.
U.E.
U.M.A.
Caricom
C.E.D.E.A.O.
M.C.C.A.
Comunidad Andina
U.D.E.A.C.
Mercosur

El grupo de Río

El grupo de Río, fundado en 1986, es una organización que tuvo desde el inicio una orientación marcadamente política. Con el tiempo, este dispositivo permanente de consulta y concertación política adquirió una dimensión económica. En 2003, el grupo de Río contaba entre sus miembros con Argentina, Bolivia, Brasil, Chile, Colombia, Ecuador, México, Panamá, Paraguay, Perú, Uruguay y Venezuela. La sede principal del grupo de Río se halla en Asunción, Paraguay.

Principales bloques económicos

- **T.L.C.A.N.** Tratado de libre comercio de América del Norte (1994)
- ◇ **C.E.A.P.** Cooperación económica de Asia y el Pacífico (1989)
- **A.S.E.A.N.** Asociación de naciones del Sureste Asiático (1967)
- **Caricom** Comunidad del Caribe (1972)
- **C.E.D.E.A.O.** Comunidad económica de los estados del África Occidental (1975)
- **C.E.I.** Comunidad de estados independientes (1991)
- **C.O.M.E.S.A.** Mercado común del África Oriental y Meridional (1993)
- **Comunidad Andina** (1969)

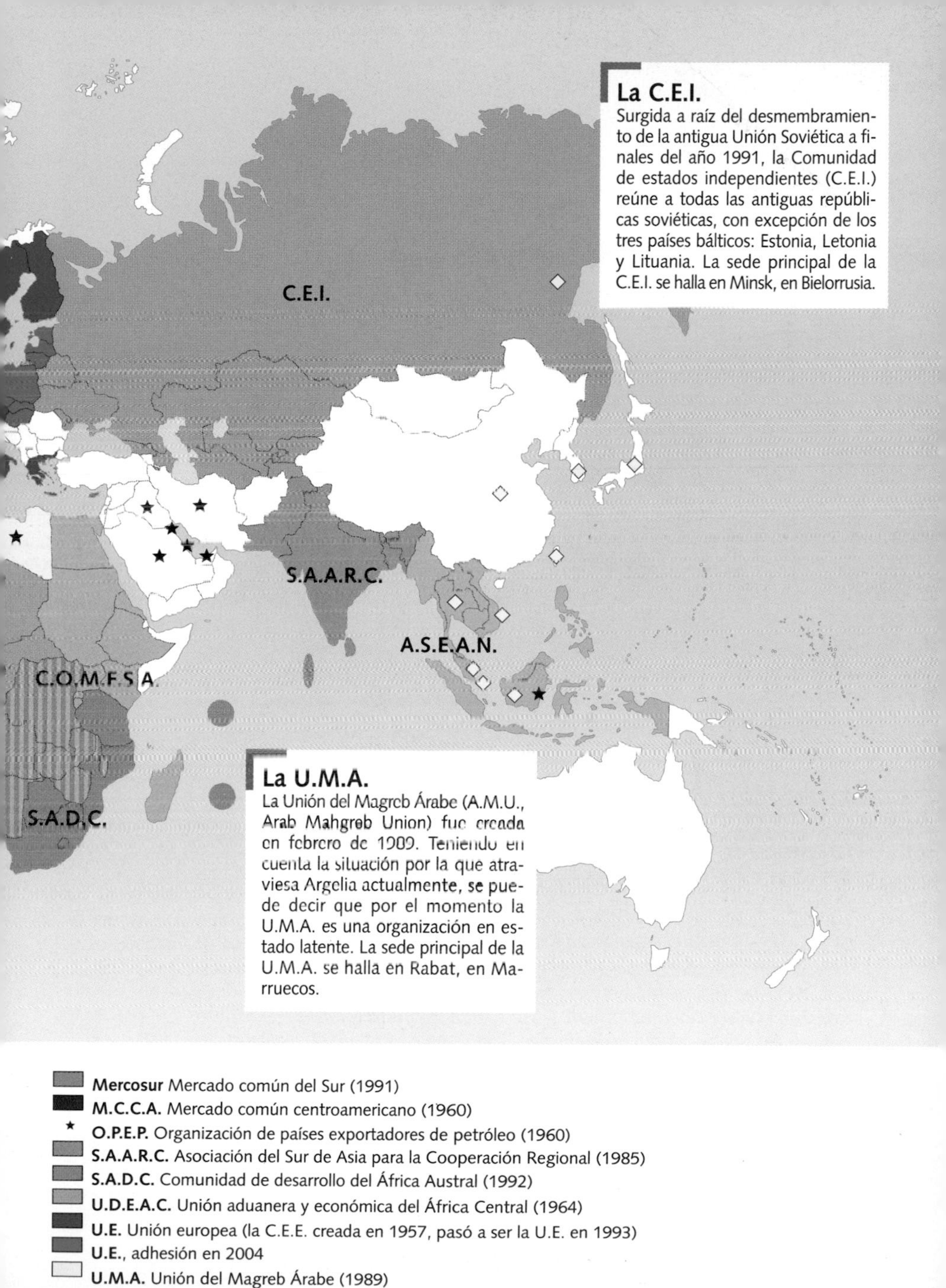

La C.E.I.

Surgida a raíz del desmembramiento de la antigua Unión Soviética a finales del año 1991, la Comunidad de estados independientes (C.E.I.) reúne a todas las antiguas repúblicas soviéticas, con excepción de los tres países bálticos: Estonia, Letonia y Lituania. La sede principal de la C.E.I. se halla en Minsk, en Bielorrusia.

La U.M.A.

La Unión del Magreb Árabe (A.M.U., Arab Mahgreb Union) fue creada en febrero de 1989. Teniendo en cuenta la situación por la que atraviesa Argelia actualmente, se puede decir que por el momento la U.M.A. es una organización en estado latente. La sede principal de la U.M.A. se halla en Rabat, en Marruecos.

Fabricación de balones en Pakistán. El trabajo infantil es, en muchos casos, la cara oscura de la globalización.

Los estados

La apertura total de las fronteras a las mercancías extranjeras supone un grave peligro para ciertos sectores de actividad, incapaces de soportar una competencia tan intensa. A pesar de que los defensores incondicionales de la economía de mercado sostienen que cualquier país saldría ganando si aceptara las importaciones y reorientara su producción, es evidente que hay que tener también en cuenta otros factores. Uno de los papeles del estado consiste, precisamente, en proteger determinados sectores especialmente frágiles, favorecer las reconversiones y garantizar una total independencia del país en aquellos ámbitos que considere prioritarios. Por ello, a menudo también los estados son percibidos como agentes susceptibles de obstaculizar el proceso de globalización.

La protección de los sectores amenazados por la competencia internacional

En su preocupación por proteger las ramas de actividad más amenazadas, pero también a menudo por simple interés electoralista, los estados suelen poner barreras a las importaciones. Actualmente, los países industrializados suelen servirse poco de las barreras arancelarias, que durante el período de entreguerras y hasta mediados de la década de 1970 fueron un recurso muy utilizado. En 1998, la tasa arancelaria media fue del 7,3 % en Japón, del 4,5 % en Estados Unidos y del 4,7 % en la Unión europea, lo que constituye un porcentaje relativamente bajo comparado con las tasas de la década de 1930 (véase capítulo 2). El progresivo abandono de las restricciones arancelarias se logró a raíz de los acuerdos comerciales multilaterales propiciados, primero, por el G.A.T.T. (*General agreement on tariffs and trade*) y, luego, por la OMC. Sin embargo, aún existen barreras arancelarias en aquellos sectores especialmente sensibles como la agricultura, el textil, la confección o la siderurgia. Y aún se siguen aplicando también otras formas de protección menos visibles, aunque igualmente eficaces, como las cuotas, las autorizaciones administrativas, las normas sanitarias o técnicas, y sobre todo los acuerdos de comercialización ordenada (A.C.O.) y la limitación voluntaria de las exportaciones (L.V.E).

Los A.C.O. y los L.V.E.

Las siglas A.C.O. designan el acuerdo que establecen dos estados entre sí y mediante el cual el estado del país exportador acepta limitar sus exportaciones a un nivel inferior al del libre comercio. La L.V.E., por su parte, es un acuerdo más o menos confidencial entre dos ramas de actividad por el cual las empresas del país importador obtienen un compromiso de limitación de las importaciones del país exportador.

Todos estos obstáculos no arancelarios permiten a los países industrializados protegerse de la competencia externa procedente de los otros países desarrollados y de la de los países con bajos salarios (textil, siderurgia, construcción naval) considerada como competencia desleal. La competencia desleal puede llegar hasta la falsificación, un fraude sancionado mediante la destrucción de los productos copiados en el territorio del país de las empresas afectadas. Así pues, a pesar del discurso de los defensores del libre comercio, los efectos de la globalización tampoco se suelen aceptar sin restricciones en los países más ricos, y especialmente cuando se hallan en juego los intereses privados de determinados grupos

Destrucción de productos falsificados. En ocasiones la competencia, elemento clave de la globalización, puede ser desleal.

¿Es necesario el proteccionismo de los P.E.D.?

El crecimiento de los P.E.D. pasa por impulsar determinadas ramas industriales básicas. Para que éstas no sean víctimas de la competencia de los países económicamente más avanzados, los Estados deben aplicar medidas que las protejan hasta que alcancen una dimensión suficiente como para que su coste unitario sea competitivo. No obstante, esta protección de los sectores industriales incipientes, que en inglés se conoce como *infant industry*, no siempre se considera como una vía susceptible de garantizar un verdadero desarrollo industrial. Efectivamente, si el mercado industrial del país en cuestión es demasiado reducido como para permitir a la rama correspondiente alcanzar un tamaño conveniente, el coste de producción, al traducirse en un precio demasiado elevado, puede contribuir a frenar su desarrollo. Sin embargo cada país tiene una experiencia distinta. Así, el elevado proteccionismo de los países del Sureste asiático de rápido crecimiento les permitió hasta la década de 1990 impulsar algunas ramas económicas sobre las cuales fundaron posteriormente su desarrollo, como la construcción, la química y el sector automovilístico, mientras que, en cambio, desde 1980 los países de Latinoamérica, presionados, en parte, por el F.M.I., optaron por la vía neoliberal.

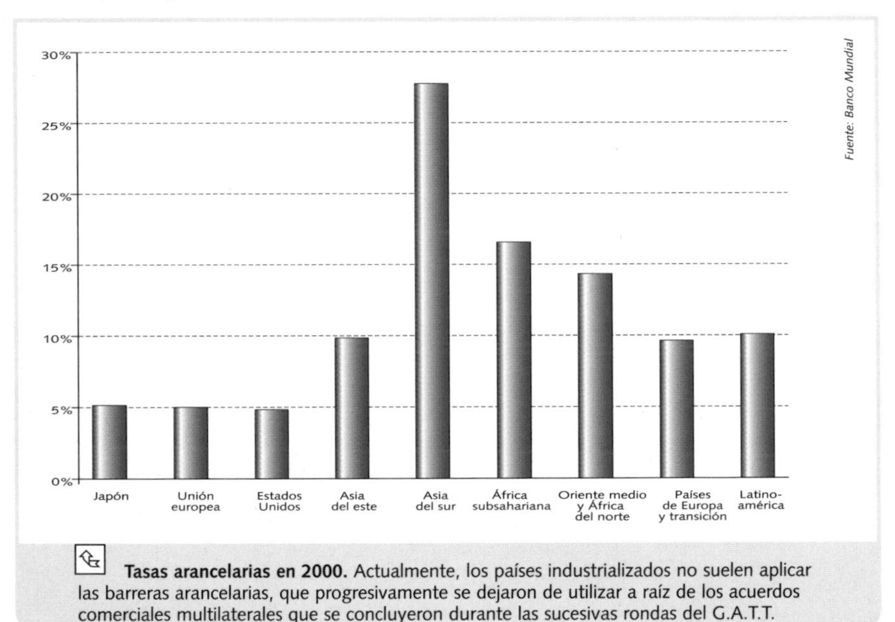

Tasas arancelarias en 2000. Actualmente, los países industrializados no suelen aplicar las barreras arancelarias, que progresivamente se dejaron de utilizar a raíz de los acuerdos comerciales multilaterales que se concluyeron durante las sucesivas rondas del G.A.T.T.

Las instituciones internacionales

La principal misión de las instituciones internacionales consiste en regular el proceso de globalización y ofrecer ayuda a aquellos países cuya integración en la economía mundial pueda ser fuente de dificultades, tanto para ellos como para el sistema en su conjunto.

Manifestación contra la O.M.C. en Seattle en diciembre de 1999. Esta organización, principal defensora del dogma liberal, es criticada por los detractores de la globalización.

La Organización mundial del comercio (O.M.C.)

La O.M.C., que se creó a raíz de los acuerdos de Marrakech (abril de 1994), tiene como objetivo permitir el desarrollo del comercio de bienes y servicios entre los distintos países, al igual que el G.A.T.T., institución de la que es sucesora. Sus países miembros (144 en 2002) se comprometen a abrir sus fronteras a los productos extranjeros y, en principio, no subvencionar sus propias exportaciones. La agricultura, que hasta hace poco se hallaba fuera del ámbito de las concesiones comerciales, ha pasado a formar parte del régimen comunitario, lo que va claramente en contra de la P.A.C, la política agrícola comunitaria de la Unión europea. Con el objetivo de hacer avanzar el proceso de liberalización del comercio internacional, periódicamente se organizan conferencias a nivel mundial en las que participan todos los países miembros, como la de Singapur (1996), la de Seattle (1999), que fue un fracaso, y la de Doha (2001), que ha supuesto la reactivación de una nueva ronda de negociaciones comerciales conocida como la ronda del milenio.

La O.M.C. es uno de los principales blancos de los movimientos antiglobalización, que consideran que defiende los intereses de las grandes multinacionales, por lo general norteamericanas, que son cómplices de la explotación de los países menos desarrollados. El debate sobre el papel que debe desempeñar la O.M.C. conduce a otro problema más global, el de las ventajas e inconvenientes de la economía de mercado (véase capítulo 5). El objetivo de la O.M.C.; no obstante no se reduce a la organización de rondas de negociaciones.

La O.M.C.: entre el libre comercio y su regulación

De hecho, el dogma liberal de la O.M.C. admite algunas excepciones. Así, por ejemplo, Europa tiene derecho a subvencionar sus producciones cinematográficas y audiovisuales, mientras que a los P.M.A. (países menos adelantados) se les permite una mayor protección de sus industrias que a los países desarrollados. Asimismo, en 2002 Europa concedió ayudas importantes a su agricultura, al igual que Estados Unidos. Por otro lado, en lo que respecta a la preocupación por el medio ambiente, la salud pública y la protección laboral de los P.E.D., aunque han sido objeto de intensos debates en el seno de la O.M.C., no han dado lugar a ninguna decisión determinante. Por ello, los movimientos antiglobalización denuncian el inmovilismo de la O.M.C. y proponen someter las reglas que rigen dicha institución a una normativa externa definida, por ejemplo, por la O.M.S. (Organización mundial de la salud) o por la O.I.T. (Organización internacional del trabajo).

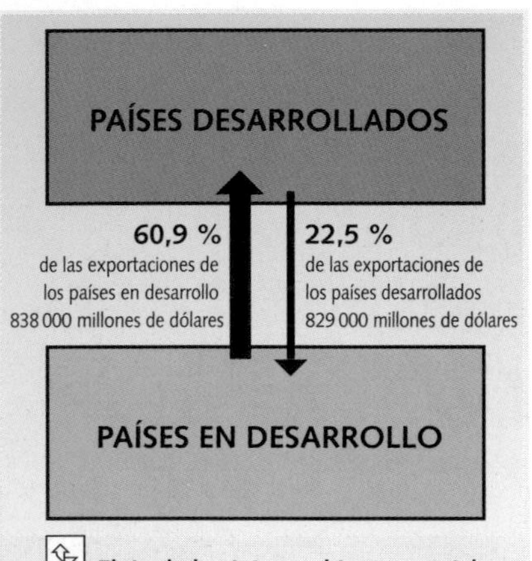

Flujo de los intercambios comerciales norte-sur. Los países desarrollados exportan una modesta parte de su producción a los países en desarrollo.

El Fondo monetario internacional (F.M.I.)

El F.M.I., que fue creado en 1944 a raíz de los acuerdos de Bretton Woods para evitar los trastornos monetarios de entreguerras, durante la década de 1980 cambió de orientación. Desde entonces, su principal cometido ha sido gestionar la deuda de los P.E.D. y ayudar a los países emergentes víctimas de crisis financieras. Sin embargo, sus ayudas están sujetas a determinadas condiciones. Así, los países afectados deben aceptar las medidas, a menudo drásticas, que les impone el F.M.I. y que suelen consistir en un recorte sustancial del gasto público, la práctica de la austeridad monetaria, la apertura del país a las mercancías y capitales extranjeros, la liquidación de empresas y bancos poco rentables, las privatizaciones, y toda una serie de medidas que pueden redundar en un debilitamiento de un país ya empobrecido por la deuda o la fuga de capitales al extranjero. A pesar de su fuerte implicación financiera en la crisis asiática de 1997, así como en la crisis rusa de 1998, el F.M.I. suele ser objeto de duras críticas (véase capítulo 5).

El Banco mundial

El grupo del Banco mundial está formado por distintos organismos que conceden préstamos y ayudas a los P.E.D. Sus fondos proceden de la emisión de obligaciones en los mercados financieros así como de contribuciones aportadas por los países ricos. Durante las décadas de 1950 y 1960, el Banco mundial se dedicó a la financiación de infraestructuras, y posteriormente se implicó en la concesión de préstamos al sistema productivo. Durante la célebre crisis de la deuda externa, parte de su financiación estuvo supeditada a una serie de condiciones similares a las impuestas por el F.M.I., es decir, someterse a las normas del neoliberalismo. Dicha imposición ha sido duramente criticada por las ONG (orga-

Cultivo de algarrobillo en Mauritania. En las regiones desérticas de África, este pequeño arbusto espinoso, que se utiliza como combustible, es indisociable de la agricultura.

nizaciones no gubernamentales) que alegan que, a pesar estas políticas, o justamente a causa de ellas, hay regiones enteras del planeta, concretamente en África, que se hallan hundidas en la miseria. En este clima de dudas, el Banco mundial ha impulsado una reflexión sobre la naturaleza y las distintas formas de pobreza de los P.E.D. Desde finales de la década de 1990, los proyectos puestos en práctica por el B.M. están esencialmente orientados a los sectores sociales y se basan en una relación más directa con la población que con los gobiernos.

En definitiva, el alcance actual de la globalización parece ser consecuencia de la correlación entre distintos factores que no son favorables, en su mayor parte, a una apertura sin condiciones. Así, mientras el objetivo de los grandes productores consiste en organizar sus procesos de fabricación a nivel planetario, lo que requiere el mínimo de reglas posible, los estados, y en cierto sentido también las organizaciones internacionales, intentan poner límites a la ley del mercado. Aun así, los países emergentes no se hallan a salvo de las crisis que pueden provocar ciertos movimientos de capitales, mientras las regiones más desfavorecidas siguen permaneciendo al margen de los beneficios derivados del libre comercio.

Según algunos, el comercio y la libre circulación de capitales deberían contribuir a reducir las desigualdades entre países; no obstante, suelen generar diferencias y, en consecuencia, tensiones sociales. La apertura de los mercados estimula a las empresas de los países industrializados a innovar y a incrementar su competitividad, lo que aumenta la «dualidad» del mercado laboral, con empleos inestables, por un lado, y puestos de trabajo estables y cualificados, por el otro. La actual liberalización de los mercados agrícolas también plantea problemas, tanto en los países desarrollados, que desean preservar las rentas de sus agricultores, como en los P.E.D., cuya agricultura subsiste con dificultad.

Corredor de bolsa delante de la bolsa de Bangkok

Implicaciones sociales

Implicaciones sociales

Al potenciar el aumento del comercio y la movilidad del capital, la globalización pone en relación diferentes sistemas con distintos niveles de desarrollo económico y organización social.

Para los defensores de la libertad económica se trata de un encuentro provechoso, pues al fin todo el mundo sale ganando. Vista de este modo, la globalización sólo presenta ventajas. Pero en realidad, para determinadas clases sociales y/o países, el coste de adaptación puede ser muy elevado a medio y, a veces, a largo plazo. Y especialmente para los asalariados y los agricultores, dos grupos cuyos ingresos y cuya actividad se están viendo fuertemente afectados por las transformaciones del mundo actual. En términos generales hay que plantearse si la competencia internacional contribuye a aumentar o a disminuir las desigualdades y si, del mismo modo, la apertura de un país hacia el exterior da lugar a un desarrollo social armonioso.

Empleo cualificado y empleo no cualificado

Estas nociones difieren según los países y los autores. Sin embargo, en las publicaciones de los países de la O.C.D.E. se observan ciertos puntos en común: los obreros y empleados se suelen considerar trabajadores no cualificados, mientras que los técnicos, ingenieros, y cuadros medios y superiores pertenecen a la categoría de los trabajadores cualificados.

Empleo, sueldo y globalización

Al abrirse al exterior, las economías se especializan en determinados productos al tiempo que abandonan o reducen la producción de otros menos competitivos. Este reajuste viene acompañado de cambios en los precios de los bienes y, en consecuencia, de variaciones en las rentas salariales. También conlleva cierto movimiento de mano de obra entre sectores, entre empresas, e incluso dentro de una misma empresa.

Apertura y trabajo no cualificado en el norte

Cuando el norte, es decir, los países ricos, comercian con el sur (los P.E.D.) suelen exportar bienes de elevado contenido en trabajo cualificado al tiempo que importan mercancías con un elevado componente de trabajo poco cualificado. De hecho, estas mismas mercancías son compradas o producidas por el norte a un precio inferior al que tenían antes de que se produjera el intercambio comercial. En consecuencia, la remuneración de los asalariados poco cualificados del norte tiende a disminuir, o en cualquier caso, a aumentar menos que la de los trabajadores cualificados, que se benefician de la expansión de las ramas de exportación correspondientes. Además, las importaciones, al entrar en competencia con la producción nacional, pueden dar lugar a una destrucción masiva de puestos de trabajo en los sectores afec-

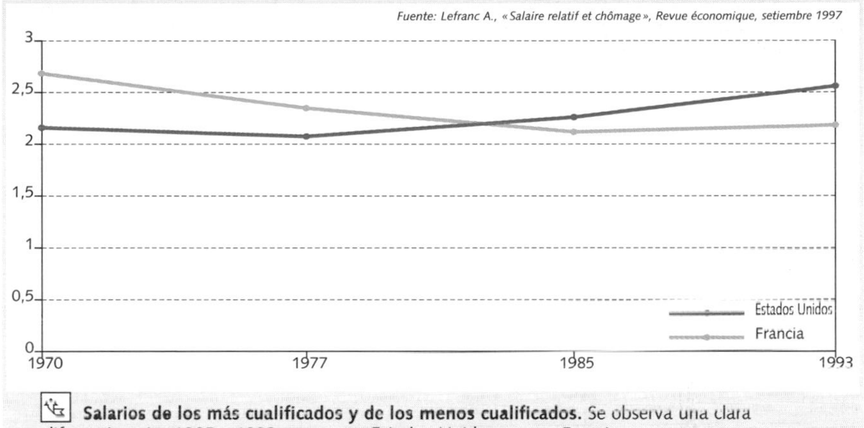

Salarios de los más cualificados y de los menos cualificados. Se observa una clara diferencia entre 1985 y 1993, mayor en Estados Unidos que en Francia.

tados como el textil, la confección, el cuero, la construcción naval y la siderurgia. Así, por ejemplo, en el sector de la confección se puede observar que el sur está adquiriendo una presencia creciente en las importaciones europeas al tiempo que ocupa el primer lugar en las importaciones de E.U.A. En consecuencia, el comercio con los países que poseen salarios bajos puede ser visto, en parte, como uno de los responsables del desempleo, así como del aumento de las diferencias de remuneración entre el empleo cualificado y el no cualificado en los países desarrollados, y especialmente a mediados de las décadas de 1980 y 1990.

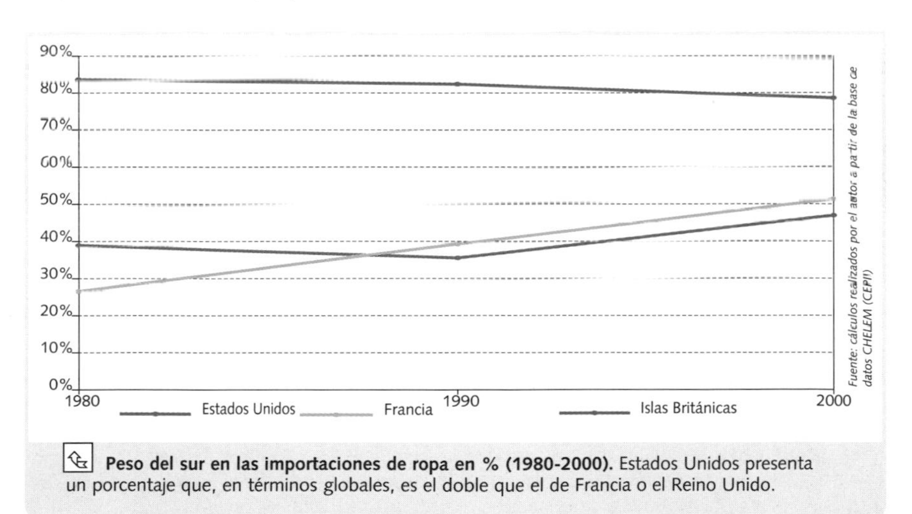

Peso del sur en las importaciones de ropa en % (1980-2000). Estados Unidos presenta un porcentaje que, en términos globales, es el doble que el de Francia o el Reino Unido.

Competencia internacional, tecnología y nueva organización empresarial

De hecho es bastante difícil demostrar que la apertura al exterior es la principal responsable, o incluso la única, de la degradación de la situación de los trabajadores menos cualificados del norte. De hecho, la cuota de importaciones procedentes de los P.E.D. en el producto interior bruto (P.I.B.) de los países industrializados es relativamente baja (entre el 1 % y el 5 %), incluso teniendo en cuenta no sólo las importaciones procedentes de los P.E.D., sino también las que provienen de los países de Europa del Este y de la ex U.R.S.S. En consecuencia, el impacto que tiene para los países del norte el comercio con el sur es relativamente bajo. Éste es, por ejemplo, el caso de Francia, cuyas compras procedentes del sur y de los P.E.C.O. representan únicamente el 2,8 % de su P.I.B.

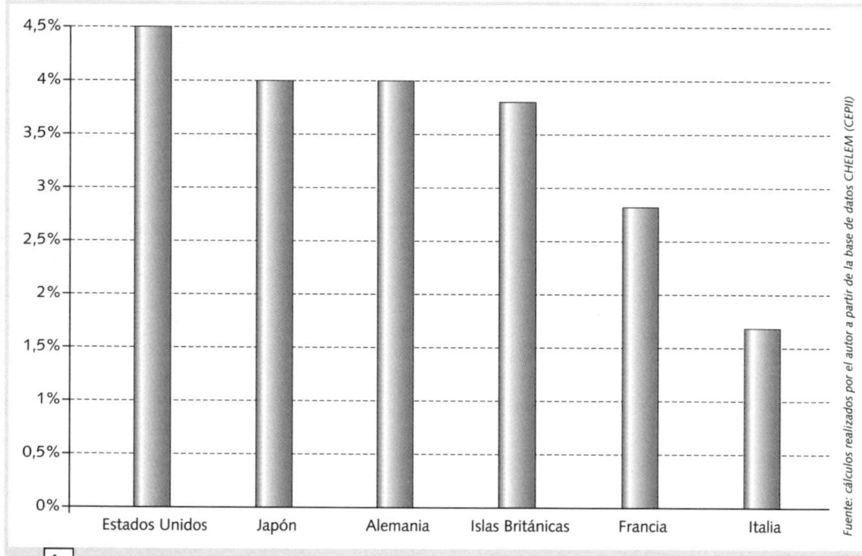

Repercusión del comercio con los países del sur en los países desarrollados. Cuotas en % de las importaciones desde los países en desarrollo y los países de Europa central y oriental con respecto al P.I.B. calculadas sobre la media del período 1996-2000.

Por otra parte, en la época contemporánea se han producido profundas transformaciones, tanto tecnológicas como a nivel de organización empresarial, cuyos efectos en el empleo se suman a los de la globalización. Así, los actuales avances tecnológicos suponen la eliminación del empleo poco cualificado y dan lugar a un importante subempleo. Por otro lado, la competencia internacional hace que las empresas busquen mercados amplios y diferencien sus productos, lo que además de estimular su productividad y actividad económica, redunda en beneficio de sus asalariados. Del mismo modo, al buscar los procedimientos más eficaces y deslocalizar las tareas puramente productivas en los países del sur, dichas empresas contribuyen a penalizar a ciertos trabajadores del norte.

La globalización y el mercado laboral

En consecuencia, resulta difícil separar lo que es imputable a la globalización de lo que es producto de la aplicación de nuevas técnicas y estrategias empresariales, puesto que todos los fenómenos están interrelacionados entre sí. Mientras la apertura empuja a las empresas a innovar, los avances técnicos, al reforzar su competitividad, las lleva a implicarse cada vez más en el mercado mundial. A raíz de dicho proceso, el mercado laboral de los países más industrializados se va convirtiendo progresivamente en un mercado dual constituido por pequeños empleos precarios, poco cualificados y mal remunerados, que conviven con puestos de trabajo estables, bien pagados y cualificados. Y la globalización contribuye a acentuar esta dualidad al reducir los ingresos de los monopolios, lo que les incita a eliminar puestos de trabajo no cualificados o bien convertirlos en «empleos basura». Por el contrario, el dinamismo de estas empresas, que por lo general suelen ser grandes exportadoras, incide directamente en el crecimiento de las economías a las cuales pertenecen, lo que, a su vez, tiene efectos positivos en el volumen de empleo global, independientemente de su nivel de cualificación.

Manifestación en defensa del empleo, fábrica Moulinex, Francia 2001. La desindustrialización que caracteriza a los países desarrollados suele traducirse en despidos masivos.

Salarios mínimos y globalización

Al contrario que en la Europa continental, donde existen niveles salariales mínimos por ley, los países anglosajones suelen dejar que el mercado laboral funcione libremente. En principio, pues, la competencia internacional debería provocar, por un lado, la existencia de subempleo en Europa a causa de su imposibilidad de adaptar suficientemente los salarios, y por otro, la reducción

El proteccionismo de Estados Unidos sobre el acero

La caída de la demanda mundial en 2001-2002 ha contribuido a agravar la crisis de la siderurgia estadounidense, lastrada por una falta de competitividad estructural. Para eliminar la competencia exterior y proteger los salarios de este sector económico, el gobierno de Estados Unidos decidió imponer, en marzo de 2000 y durante tres años, cuotas de importación y tasas arancelarias de entre el 8 % y el 30 %, un gesto que indica que, pese al credo librecambista (que en palabras del presidente Bush es «el mejor modo de combatir la pobreza») no duda en darle la espalda cuando se halla en juego el interés nacional.
La Comunidad europea, que pierde un mercado importante y deberá hacer frente a la competencia de terceros países, presentó una demanda ante la O.M.C., que fue suscrita a su vez por Japón y Rusia.
En otoño de 2002 los estadounidenses descubrieron el coste de dicha protección: el precio del acero aumentó entre un 70 % y un 75 %.

de los salarios de los países anglosajones aunque sin subempleo. En realidad, sin embargo, no existe ninguna diferencia notable entre ambos sistemas, lo cual halla su explicación en la presencia de sindicatos más o menos fuertes en los países anglosajones que frenan la reducción de los salarios en las ramas amenazadas por la competencia, mientras que, por otro lado, en la Europa continental hay muchos empleos precarios que no cumplen la normativa del salario mínimo. Esta similitud puede ser también debida al peso de la desindustrialización, que afecta a todos los países desarrollados y que se suele saldar con una reducción del número de empleos poco cualificados, independientemente de la legislación laboral al uso. Para proteger a los asalariados de los sectores más sensibles, los gobiernos pueden imponer barreras a la importación. Sin embargo, el riesgo de represalias por parte de los países exportadores debería llevar a los estados a renunciar a este tipo de medidas unilaterales y a buscar otras formas de cooperación, especialmente en el seno de la O.M.C., encaminadas a lograr una globalización controlada.

Los agricultores y el mercado mundial

En los acuerdos de Marrakech de 1994, que dieron lugar al nacimiento de la O.M.C., se consideró que el comercio de los productos agrícolas debía tender progresivamente a la liberalización, al igual que había sucedido en la industria en tiempos del G.A.T.T. Sin embargo, la mayoría de agricultores de los países desarrollados desconfiaban de esta liberalización pues veían en ella el inicio de un proceso que podía saldarse con su progresivo empobrecimiento e incluso con su extinción. Últimamente el proceso de globalización de la agricultura se ha acentuado notablemente, y entre 1990 y 2000, el volumen de exportaciones agrícolas mundiales con respecto a la producción agrícola mundial aumentó un 23 %. Por su parte, la mayor parte de la I.E.D. (inversiones extranjeras indirectas) del sector agroalimentario fue realizada por unas pocas multinacionales como Nestlé, Coca-Cola o Danone. Y a su vez, el desarrollo de entidades capitalistas vino acompañado de políticas públicas de apoyo y ayuda a los explotadores, políticas que actualmente están siendo puestas en tela de juicio.

La liberalización de la agricultura

Comparada con la industria, la agricultura presenta sus propias particularidades. En primer lugar, su progreso técnico es más lento y en, gran medida, inaccesible a muchos de los pe-

Sistema de ordeño automático y sistema manual, dos caras de la agricultura, una actividad que, muy a menudo, se protege mediante precios garantizados, cuotas de importación y ayudas directas.

queños productores, sobre todo en los países en vías de desarrollo. Además, a causa de las vicisitudes climáticas y de los comportamientos especulativos, sus mercados son bastante inestables, lo que conlleva una importante fluctuación del precio y de los ingresos de los productores. Finalmente, y en términos generales, la actividad agrícola presenta otras dimensiones aparte de su estricta productividad. Así, por ejemplo, la salud pública (vinculada a la alimentación), el entorno vital, el medio ambiente, los paisajes y el equilibrio social dependen, en gran medida, del tipo de agricultura que se practique. Todas estas razones explican que muchos gobiernos, y concretamente en la Unión europea, hayan adoptado hasta la fecha una serie de políticas agrícolas eminentemente voluntaristas basadas en sistemas de precios garantizados, aranceles en las importaciones y ayudas directas. Estas medidas, que son la causa de una importante distorsión de la competitividad, deben ser progresivamente eliminadas en virtud de las disposiciones derivadas de los acuerdos agrícolas de la O.M.C. Sin embargo, los dos principales productores mundiales, que son Europa y Estados Unidos, están retrasando la aplicación de dichas disposiciones.

Las agriculturas productivistas: Europa y Estados Unidos frente a frente

La P.A.C. (Política agrícola comunitaria) de la Comunidad europea, que se adoptó en 1962, actualmente está siendo objeto de serias críticas por parte de los socios comerciales de Europa, y especialmente de Estados Unidos y otros países de agricultura intensiva como Nueva Zelanda y Argentina. De hecho, la P.A.C. debería ser reformada para adecuarla a la normativa de la O.M.C. No se puede negar que el sistema de la P.A.C. tiene un coste elevado para los contribuyentes europeos y que da lugar a una sobreproducción que, además de incidir en los precios mundiales, contribuye a la degradación medioambiental. Sin embargo existen tres razones por las cuales Europa se está retrasando en reformar la P.A.C.: la defensa de los derechos adquiridos, la presencia de pequeños productores de rentas bajas, y la posición americana, claramente en contradicción con el discurso oficial. En Francia, por ejemplo, a finales de la década de 1990, el 40% de las explotaciones agrícolas proporcionaban a sus trabajadores a jornada completa unos ingresos inferiores al S.M.I. (salario mínimo interprofesional). En tales condiciones, es difícil ver cómo se puede mantener su actividad sin protección de ningún tipo.

Por su parte, Estados Unidos también proporciona muchas ayudas a su propia agricultura, ya sea en forma de subsidios agrarios, aceptados por la O.M.C., o bien en forma de precio garantizado. En 2001, las ayudas aprobadas por el gobierno estadounidense representaron el 50 % de las rentas netas de los productores agrícolas. Dadas estas condiciones, no está claro por qué Europa debería dar el primer paso en las negociaciones de la O.M.C. si las ayudas públicas por agricultor en Estados Unidos superan ampliamente las de la P.A.C.

El enfrentamiento entre Europa y Estados Unidos con relación al tema agrícola también está relacionado con la negación por parte de Europa de importar de Estados Unidos carne de res alimentada con activadores del crecimiento (buey engordado con hormonas) así como de su normativa en materia de consumo de O.G.M. (organismos genéticamente modificados). En ambos casos, el gobierno estadounidense considera que su país es víctima de comportamientos proteccionistas y no admite la posición europea basada en el principio de precaución.

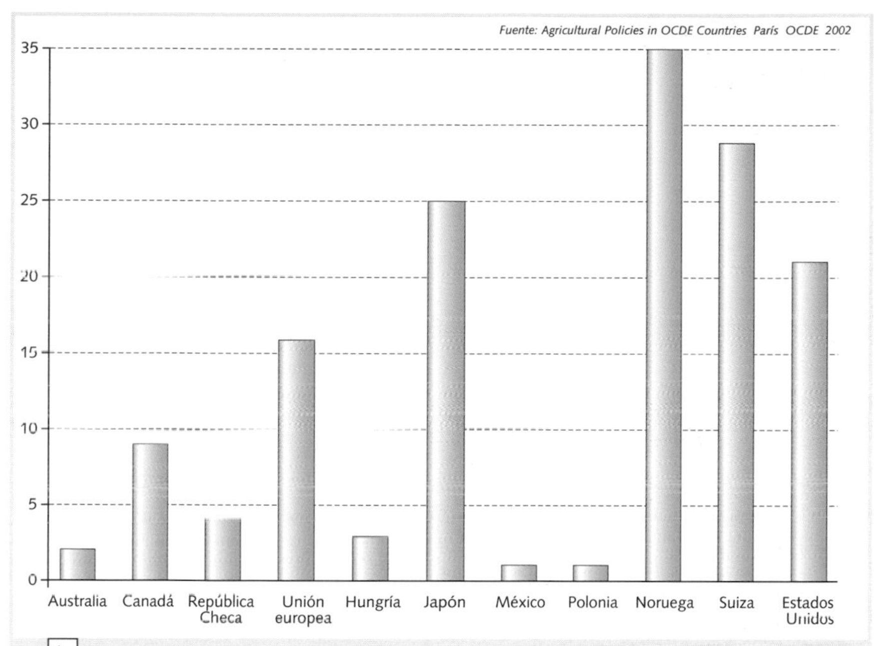

Ayuda pública anual por agricultor activo en miles de dólares (1999-2001). Como se puede observar, tanto Noruega como Suiza, que no son miembros de la U.E., se hallan claramente distanciados de la Unión. Por su parte, Estados Unidos concede ayudas superiores a las de la U.E.

Los agricultores de los países en vías de desarrollo ante la globalización

Las barreras a la importación impuestas por los países industrializados impiden a determinados países del sur, como Argentina o Brasil, acceder a los mercados de estos primeros, a pesar de haber aceptado en su día someterse a las exigencias del libre comercio impuestas por la O.M.C. así como a sus planes de ajuste estructural. Por otra parte, las subvenciones a la exportación y las ayudas directas de la Unión europea y de Estados Unidos propician el estancamiento de los mercados mundiales y obstaculizan el desarrollo de la agricultura de productos básicos de los países menos desarrollados. Así, por ejemplo, entre 1965 y 1985, la entrada de cereales procedentes de países cuya productividad era 200 o 300 veces superior hizo disminuir la producción local en África tropical. Este mismo fenómeno afecta también a la carne de ave en la África negra o la leche en Ecuador o Perú. En consecuencia, el empobrecimiento de los pequeños agricultores, que constituyen las dos terceras partes de la población activa del África negra, contribuye a agravar la dificultad que tienen dichos países para hallar una posible vía para un crecimiento fuerte y sostenido. Para muchos economistas, la protección elevada del sector agrícola en estas regiones especialmente desfavorecidas debería ser una condición necesaria y suficiente para su despegue económico. Estos mismos economistas subrayan el hecho de que en el siglo XIX,

Sequía en Burkina Faso. Además de estar ya muy castigada por unas condiciones climáticas a menudo dramáticas, la agricultura del África negra no puede rivalizar con el sistema productivista y fuertemente subvencionado de los países del norte.

durante la revolución industrial, muchos países europeos sentaron las bases de su propio crecimiento protegiendo sus agriculturas mediante la imposición de barreras comerciales.

Globalización y desigualdades

En teoría, tanto el comercio como la circulación de capitales deberían contribuir a reducir las desigualdades entre países. Mientras las exportaciones aumentan la productividad, y por consiguiente, el nivel de vida, las importaciones, por su parte, al permitir comprar a mejor precio en el extranjero también contribuyen a potenciar la eficacia productiva y a incrementar la satisfacción de los consumidores. Además, la circulación del conocimiento a través del comercio, la adquisición de patentes y la implantación de empresas extranjeras, en principio debería permitir, por lo menos en parte, compensar a los países con poca capacidad investigadora su retraso tecnológico. Pero la cuestión radica en saber si estos mecanismos resultan eficaces, pues, por un lado, la medición de la desigualdad plantea importantes dificultades y, por otro, es muy difícil separar la influencia de la globalización de otros factores como las estructuras políticas y económicas de los países afectados.

Las desigualdades de renta entre países: unos resultados contradictorios

Según un estudio realizado por Melchior en 2001, la dispersión de la renta media per cápita, expresada en dólares USA y ponderada según el tamaño del país, aumentó notablemente entre 1965 y 1998, lo que demostraría que también se está ahondando la desigualdad entre países. Sin embargo, si se realizan de nuevo los mismos cálculos con los tipos de cambio en función de la paridad de poder adquisitivo (P.P.A.), el resultado es el inverso y dicha desigualdad se reduce.

Así pues, las conclusiones dependen del método. Concretamente, el hecho de ponderar en función de la población otorga a los países muy poblados un peso determinante en el resultado final. Así, por ejemplo, la evolución de la renta per cápita de China, un país que contiene una quinta parte de la población mundial, tiene un peso muy superior a la que posee un país pequeño como Chad, que representa sólo el 0,1 % de la población mundial.

Rentas expresadas en paridad de poder adquisitivo (P.P.A.)

Para comparar las rentas per cápita entre los países se convierte su renta a una moneda, en general el dólar USA. Para ello se pueden utilizar los tipos de cambio mercado o bien expresado en P.P.A. Los primeros dependen de un gran número de factores, y esencialmente de la especulación, por lo que es mejor aplicar una tasa teórica llamada de P.P.A. que refleja el verdadero poder adquisitivo dólar y la del país analizado.

Si se tienen en cuenta las rentas por grupo o por país se puede constatar que entre 1965 y 1997 la renta per cápita (P.P.A.) de los países más pobres se hallaba a una gran distancia de la de los países más ricos (un 7 % en 1965 y un 9 % en 1997), mientras que esta misma distancia se redujo considerablemente con respecto a los países de renta media (su relación con los países ricos experimentó un notable incremento, y pasó del 41 % al 59 %).

El rápido crecimiento experimentado durante la década de 1960 en zonas aún poco desarrolladas como Asia, que suma una población de 3 200 millones de personas, contribuye en gran medida a explicar este fenómeno de recuperación por parte de los países intermedios. Por el contrario, la distancia entre las posiciones más extremas se acrecentó notablemente, con lo que aumentaron las desigualdades de renta entre el 10 % de los países mas pobres y el 10 % de los países más ricos. Así pues, actualmente aún existen grandes bolsas de pobreza y se calcula que en la transición entre los siglos XX y XXI había aproximadamente 1 200 millones de personas que subsistían con menos de un dólar al día. En principio, no se puede decir, pues, que la globalización contribuya a reducir las desigualdades de renta en todos los países.

La desigualdad, un fenómeno polimorfo

También se pueden utilizar otros indicadores para valorar la desigualdad. El I.D.H. o Indicador de desarrollo humano tiene en cuenta, además del nivel de renta, la esperanza de vida al nacer y la tasa bruta de escolarización. Se observa que en determinadas zonas del planeta, como Asia, a largo plazo el I.D.H. tiende a normalizarse, esencialmente debido a las campañas de vacunación y al aumento de la tasa bruta de escolarización, a pesar de que el África subsahariana se mantiene muy por detrás de dichos niveles. Por otra parte, el cálculo del I.D.H. por sexos indica que en todos los países del mundo, sea cual sea su ni-

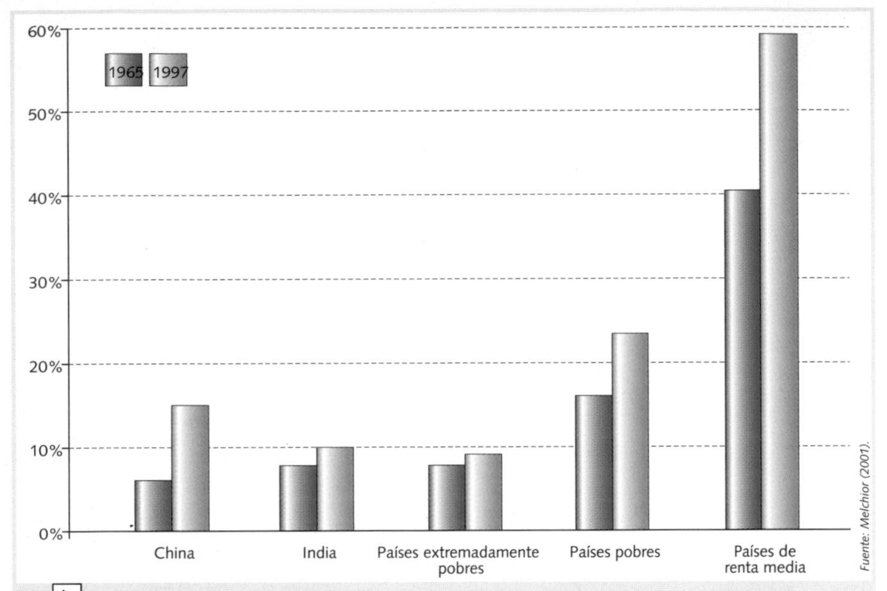

Renta per cápita en relación con los países más ricos. Países más pobres: renta anual inferior a 1 000 dólares P.P.A. en 1965; países pobres: renta anual entre 1 000 y 2 000 dólares P.P.A. en 1965; países intermedios: renta entre 2 000 y 5 000 dólares P.P.A. en 1965; países más ricos: renta superior a los 5 000 dólares en 1965.

vel de industrialización, las mujeres suelen hallarse en clara desventaja con respecto a los hombres. Además, las grandes disparidades de la mayor parte de países ante las enfermedades, concretamente el sida, también contribuyen a acrecentar unas desigualdades que no necesariamente otros indicadores.

Las desigualdades internas

Por otra parte, las disparidades entre las rentas medias de cada país únicamente constituyen uno de los aspectos que tienen que ver con las desigualdades de renta. Efectivamente, al estimular el crecimiento de determinadas actividades, la globalización puede contribuir a mejorar la renta media, pero al no beneficiar más que a determinados grupos sociales, acaba incrementando las desigualdades internas del país en cuestión. Así, según Bourguignon y Morisson, aunque entre 1950 y 1992 la media de la desigualdad interna apenas aumentó en términos globales, en las áreas emergentes de apertura creciente dicha desigualdad experimentó un considerable incremento.

En China, la principal beneficiaria del proceso de globalización, las disparidades entre las distintas regiones se han agudizado, las zonas costeras han sido las únicas en beneficiarse del incremento del comercio y de la entrada de capital. En Latinoamérica, la situación va-

Campesinos en Kuang-si y Shanghai, dos caras de China que ilustran las fuertes desigualdades internas de este país.

ría de un país a otro. En Brasil, por ejemplo, las desigualdades de renta se redujeron entre 1976 y 1999, mientras que en México se agudizaron entre 1984 y 1994, el año de la crisis. Si los gobiernos consideran que se trata de efectos indeseables, pueden redistribuir las ganancias comerciales con una política fiscal y/o industrial, de modo que los perjudicados por la apertura al exterior reciban alguna compensación. Así, si se complementa con políticas adaptadas, la globalización puede ser considerada como una opción posible.

Apertura y crecimiento

El ejemplo de los países de Asia de desarrollo rápido (también conocidos como N.I.C.S.) conduce a pensar que la apertura es una condición necesaria, e incluso suficiente, para la intensificación del crecimiento. Sin embargo es difícil convertir este caso particular en una ley general. Muchos estudios empíricos establecen una correlación entre el aumento de la

producción por habitante de un grupo de países más grande que Asia y su grado de apertura. Y suelen llegar a la conclusión de que existe efectivamente una relación positiva entre ambos factores, aun teniendo en cuenta que existen otros elementos que también inciden en el crecimiento, y especialmente el incremento de la inversión, la importancia del stoc, de «capital humano» (que se mide mediante el nivel de educación y formación), y el papel del estado. Así, por ejemplo, el estudio de Sachs y Warner de 1995, basado en 135 países durante el período de 1970 a 1985, indica que las economías abiertas gozan de una tasa de crecimiento anual superior en un 2,5 % a la de otros países.

Para matizar esta lectura más bien optimista sobre los efectos del comercio, hay que precisar que el método de análisis utilizado suele ser criticado por algunos economistas que señalan que los resultados obtenidos por Sachs y Warner, al basarse en una concepción bastante discutible de la autarquía económica, no muestran de qué modo las barreras a la importación frenan el crecimiento. Por lo demás, aunque dicha relación es cierta para la muestra analizada, no hay nada que indique que un país cualquiera deba necesariamente optar por la apertura. Es decir, correlación no implica causalidad o, dicho de otro modo: ¿es realmente la apertura un factor de crecimiento o existe simplemente una interdependencia entre ambos factores? En este caso, el crecimiento vendría acompañado por la apertura, pero ésta no sería su causa inicial.

De hecho, en algunos países asiáticos, como Corea, el proceso de crecimiento se inició con fuertes barreras a la importación, y sólo se aceptó la apertura cuando dicho proceso ya se había afianzado. Es probable, pues, que en un gran número de casos el incremento de la productividad, resultante de una serie de factores internos, preceda a la apertura en la medida en que dicho incremento potencia el desarrollo de las exportaciones que, a su vez, permiten reducir las barreras a la importación sin que exista un riesgo de déficit comercial demasiado grave.

Por consiguiente, no se puede establecer ninguna regla general. Sin duda, la globalización favorece a determinados países y categorías, pero en muchos casos requiere la aplicación de políticas compensatorias, y concretamente en aquellas empresas o países que poseen rentas más bajas y productos que acaban resultando amenazados por el efecto de la competencia.

El puerto de Singapur es el eje central del comercio del Sureste asiático.

La principal característica de la globalización radica en que no es un asunto de economistas, sino que se trata de un fenómeno que va mucho más allá del comercio porque también implica la cultura y la salud. Así, a las estrategias de las empresas multinacionales se contraponen las estrategias alternativas de los disidentes de la globalización. Y especialmente las de aquellos que defienden la imposición de una tasa sobre las transacciones financieras. Las instituciones internacionales les recuerdan que ya se ha previsto aplicar medidas económicas a favor de los países menos avanzados. Pero luego, estas instituciones son las responsables de aplicar en países distintos una única receta sin tener en cuenta las particularidades de cada caso.

Porto Alegre, enero de 2002

La controversia

Contra la globalización liberal

Desde el final de la guerra fría, el término globalización adquirió una connotación polémica que va más allá del hecho de que muchos acontecimientos económicos tengan una dimensión planetaria.

Para algunos, considerados liberales, la globalización es una garantía de progreso, a condición de que incluya, para compensar la omnipotencia de los mercados, unas mínimas reglas de buena conducta.

Para otros, los llamados «antiglobalización», el liberalismo de las décadas de 1990 y 2000 sólo es el medio por el que el capitalismo afianza su poder, en perjuicio de los grupos y países más débiles. Para ellos, otorgar a la globalización un rostro más humano requeriría dar la palabra a los ciudadanos.

Las críticas de Susan George, miembro la organización A.T.T.A.C. (*Action pour une taxe Tobin d'aide aux citoyens*) constituyen una buena síntesis de la posición de los que estigmatizan la globalización liberal, que en palabras de esta economista es «una máquina destinada a concentrar el poder en lo alto de la escala social y que en todos los ámbitos toma lo mejor y deja el resto» (George y Wolf, 2002). Para Susan George, al igual que para todos los que se oponen al sistema actual, el control económico se halla en manos de las empresas multinacionales que, en su lucha por el poder, reciben el apoyo de los organismos internacionales, que defienden sus intereses.

Según George, tanto los países emergentes como los pobres están sometidos a las empresas multinacionales, pues la liberalización y la privatización que se impone a dichos países los debilitan y dejan su economía a merced de las crisis de la coyuntura mundial, al tiempo que obliga a sus estados a ceder parte importante de los servicios públicos a la esfera privada. Por otra parte, la deuda de los países en vías de desarrollo se ha convertido en una herramienta de control por parte de los bancos de los países del norte, del F.M.I. (Fondo monetario internacional) y del Banco mundial. Y además de estas circunstancias, en muchas ocasiones, éstos apoyan en los P.E.D. a regímenes dictatoriales y corruptos.

Contra la O.M.C. y el F.M.I.

Para todos los que se oponen a la globalización —y concretamente las ONG— el G.A.T.T. (acuerdo general sobre aranceles aduaneros y de comercio), que permitió entre 1947 y 1995 la reducción de la mayoría de las barreras arancelarias de las ramas industriales, resultó ciertamente útil.

Por el contrario, la O.M.C. (Organización mundial del comercio), cuyo objetivo es liberalizar todos los ámbitos, incluidos servicios públicos como la sanidad, la educación o la cultura, constituye, en su opinión, un grave peligro para la humanidad, y más teniendo en cuenta que la preservación del medio ambiente suele tener poca presencia en sus debates. Por ello, los «antiglobalización» exigen la reforma o supresión de la O.M.C. así como la posibilidad de que los gobiernos estén autorizados a proteger aquellos ámbitos cuya gestión no puede dejarse en manos de la pura lógica del mercado. Asimismo, consideran que la agricultura constituye un terreno aislado en el que la apertura de las fronteras preconizada por la O.M.C. no tiene justificación alguna. La liberalización, en caso de producirse, conduciría irremisiblemente a la ruina de los pequeños productores, y sobre todo en los países más pobres.

Las ONG (organizaciones no gubernamentales)

Las ONG son asociaciones que tienen como objetivo la defensa de una causa al margen de los estados e instituciones internacionales. Actualmente existen unas 30 000 organizaciones de este tipo. Muchas de ellas tienen como misión principal transformar la economía mundial liberándola de las limitaciones impuestas por la búsqueda del máximo beneficio. Tal es el caso de la asociación agrícola francesa Confédération paysanne, el Movimiento de los sin tierra de Brasil, las redes contra la globalización neoliberal (como A.T.T.A.C.) y otras centradas en la lucha contra la pobreza del sur como Oxfam, con sede en el Reino Unido.

Stiglitz y el F.M.I.

Las críticas contra el F.M.I. suelen ser aún más virulentas y esencialmente han sido formuladas por Joseph Stiglitz, premio Nobel de economía y economista principal del Banco mundial entre 1997 y enero de 2000. Stiglitz considera que la gestión realizada por el F.M.I. de las crisis de los países emergentes ha sido desastrosa, pues según este autor «el F.M.I. prescribía soluciones estándar pero arcaicas e inadaptadas que no tenían en cuenta los efectos que podía provocar en la población de aquellos países a los que se exigía aplicarlas» (Stiglitz, 2002).

Dicho especialista denuncia, asimismo, el consenso de Washington, que impone a los gobiernos aceptar la libre entrada de capitales extranjeros, lo que somete a sus sistemas financieros a conflictos insostenibles que les obliga a adaptar una política monetaria y presupuestaria restrictiva, con la recesión que de ello se deriva y que les lleva a privatizar determinados sectores ante cuyas necesidades el mercado es incapaz de responder.

Joseph Stiglitz, premio Nobel de economía 2001, cree que en muchas ocasiones la política del F.M.I. ha sido desastrosa.

La crisis asiática de 1997 y el F.M.I.

Según Stiglitz, la crisis asiática de 1997 se vio especialmente agravada por la intervención del F.M.I., y la prueba de ello es que Malaysia, que se negó a aplicar las drásticas medidas de esta institución, vivió una recesión mucho más breve y menos profunda que los otros países de la región. Aunque en el caso de los países de Latinoamérica, agobiados por un déficit público y una inflación galopante, dichas medidas podían parecer razonables, en el de los países asiáticos, que no tenían apenas inflación y donde las empresas eran las que soportaban la deuda, y no los estados, dichas soluciones resultaban claramente fuera de lugar. Para Stiglitz, la austeridad monetaria impuesta por el F.M.I., al implicar un excesivo aumento de los tipos de interés, provocó la quiebra de miles de empresas sin lograr, en cambio, reestablecer la confianza de los inversores, puesto que el capital extranjero, en un contexto de crisis, suele valorar mucho más la recuperación de crecimiento y el apaciguamiento de la tensión social que la rentabilidad de las inversiones.

El caso ruso

La transición de una economía planificada a una economía de mercado implica la liberalización de los precios, la privatización de los bienes y la creación de una clase empresarial. En el caso de Rusia, en la década de 1990 esta transición se llevó a cabo en condiciones realmente adversas. La liberalización de los precios, por ejemplo, dio lugar a una inflación desmesurada y las privatizaciones sólo beneficiaron a un puñado de privilegiados poco dispuestos a invertir, dada la incertidumbre reinante y la ausencia de ahorro, arruinado por la inflación. Para Stiglitz, el gran error del F.M.I. consistió en aconsejar la privatización sin exigir, a su vez,

Imagen callejera en Moscú, en agosto de 1998, durante la crisis que se saldó con la devaluación del rublo.

la elaboración de un marco jurídico que pudiera paliar su efectos negativos. Y en el caso de la crisis del verano de 1998, que se saldó con la devaluación del rublo, en proporcionar ayudas masivas a un régimen corrupto que no supusieron ningún beneficio para la población.

Hacia la rehabilitación del F.M.I.

Mientras muchos se preguntan si las críticas dirigidas a dicha institución son de recibo, algunas autoridades del F.M.I. sostienen que de ningún modo. Según ellos, el F.M.I. no sólo ha contribuido a reducir de modo radical el déficit presupuestario de los países en crisis, sino que, al contrario de lo que afirman sus detractores, ha velado para garantizar el gasto público necesario para satisfacer las necesidades de las capas sociales más desprotegidas. Asimismo, y en la medida en que sus programas contribuyen de manera decisiva a devolver la confianza a los capitales extranjeros, el F.M.I. también ha realizado un importante esfuerzo para evitar la inflación y la recesión. En este sentido, el aumento del déficit público en % sobre el P.I.B. de los países asiáticos entre 1996 y 1998 sería la prueba de que la doctrina del F.M.I. no sólo se reduce a imponer la austeridad a cualquier precio. Para el economista estadounidense Rogoff, consejero del F.M.I., las soluciones propuestas por Stiglitz (incremento desmedido del déficit público y de la masa monetaria) sólo habrían conducido, en esos países que se hallaban al borde de la quiebra, a una inflación descontrolada que habría asfixiado el crecimiento y habría arruinado a las poblaciones más pobres. En consecuencia, la única política macroeconómica razonable es la que propugna el F.M.I.

Banco de las Bahamas, en Nassau. Este estado insular, que fue una antigua colonia británica que obtuvo la independencia en 1973, es actualmente un importante paraíso fiscal.

¿Existe otro modelo de globalización?

Los movimientos antiglobalización son tan variados como los intereses que defienden. Ente ellos hay sindicatos de trabajadores, asociaciones de agricultores, ONG y alianzas espontáneas constituidas con motivo de foros que reúnen a los que se oponen a la globalización liberal. A pesar de ello, también se constituyen en plataformas unitarias. Así, por ejemplo, con motivo del Foro social antiglobalización de Porto Alegre (Brasil) que se celebró en 2002, se aprobaron varias propuestas encaminadas a impulsar una globalización no liberal. Para frenar los movimientos internacionales de capitales, por ejemplo, se propuso gravar con una tasa las transacciones realizadas en los mercados cambiarios (conocida como tasa Tobin) así como los I.E.D. entrantes en caso de que los países destinatarios exploten a sus trabajadores, además de erradicar definitivamente los paraísos fiscales. También se propuso destinar los beneficios resultantes de la aplicación de la tasa Tobin a los P.E.D. en dificultades. Asimismo, se exigió la condonación de la totalidad de la deuda de los P.E.D. Por lo demás, se alegó que la agricultura no debería formar parte de las competencias de la O.M.C. y que habría que reestablecer la protección sobre las importaciones agroalimentarias y, por el contrario, prohibir las subvenciones a la exportación (para impedir que los productos agrícolas de los países del norte invadieran los mercados del sur) así como la producción de O.G.M. (organismos genéticamente modificados). Finalmente, también se propuso un nuevo sistema de gobernabilidad mundial cuyo control se hallara en manos de los ciudadanos y en el cual aquellas instituciones que actualmente toman las decisiones, como la O.M.C., el F.M.I. y el Banco mundial, estuvieran sujetas a normativas definidas por aquellos organismos cuyo objetivo es garantizar el bienestar de la humanidad como la O.I.T. o la OMS.

La tasa Tobin

El economista americano James Tobin, premio Nobel, propuso en 1972 establecer una tasa sobre las transacciones de capitales en los mercados de divisas para reducir su volatilidad y prevenir las crisis cambiarias. Años después, los partidarios de la antiglobalización recuperaron esta idea y, yendo mucho más lejos, centraron su lucha contra los excesos de la economía liberal en la adopción de dicha medida.

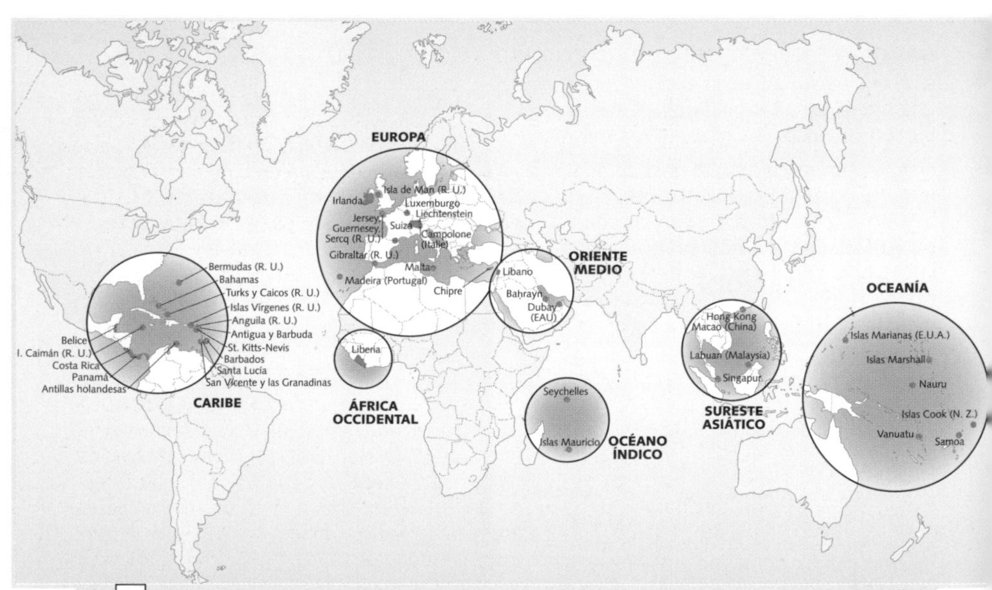

Los paraísos fiscales. Para transferir miles de millones de dólares basta con unos pocos segundos, lo que contribuye a crear una opacidad de la que se aprovechan los flujos financieros ilegales.

La respuesta de los defensores de la globalización liberal

En respuesta a los argumentos de los defensores de la antiglobalización, los partidarios de la economía de mercado alegan que no se puede equiparar la libertad de comercio y de circulación de capitales a la supuesta hegemonía de las empresas multinacionales. Efectivamente, según el informe anual de la C.N.U.C.E.D. (Conferencia de Naciones unidas sobre el comercio y el desarrollo) de 2002, dichas empresas tienen un peso a fin de cuentas bastante modesto. Así, el valor añadido de las 100 principales empresas sólo equivale al 4,3 % del P.I.B. (producto interior bruto) mundial de 2000. Aun a pesar del aumento de dicha proporción (en 1980 era del 3,5 %) y del hecho de que su influencia se ejerce asimismo por otras vías, sobre todo a través del comercio y de la subcontratación, no se puede reducir toda la actividad de un país a estos gigantes económicos, aunque sean efectivamente muy poderosos. Así, tanto las PYMES (pequeñas y medianas empresas) como las empresas públicas, las colectividades locales y los estados son los responsables de la mayor parte de la producción mundial. Por consiguiente, todos estos actores interactúan de modo complejo de tal manera que, para los defensores del sistema, éste no está únicamente regido por la ley del beneficio. Concretamente, las políticas adoptadas por los distintos estados tienen como objetivo contrarrestar los efectos eventualmente nefastos de la competencia. Y además, la normativa de las instituciones internacionales prevé la aplicación de derogaciones en favor de los países menos desarrollados, que les permitan aplicar medidas de protección para protegerse de la competencia.

Los países del sur, una gran variedad de situaciones

Para los liberales, la afirmación de que la economía del conjunto de los países del sur se ha visto debilitada como consecuencia de la globalización se halla en franca contradicción con los hechos, pues la situación es muy distinta según de qué región se trate. Así, por ejemplo, entre 1980 y 1998 el aumento de la producción per cápita en Latinoamérica fue muy moderado, esencialmente a causa de la crisis de la deuda de la década de 1980, al tiempo que en África experimentaba un importante retroceso. Los países de Asia, sin embargo (a excepción de Japón), que suman el 57 % de la población mundial y el 71 % de la población de los P.E.D., experimentaron entre 1980 y 1999 un aumento de la producción per cápita del 3,2 % anual, un incremento muy superior al de los países de la Tríada y de los otros P.E.D., y ello a pesar de la crisis de 1997.

Es evidente, pues, que el crecimiento asiático es, en parte, consecuencia de la apertura a las mercancías, tecnologías y capitales extranjeros, así como de una excepcional capacidad exportadora destinada, en la mitad de los casos, a la misma región asiática. También existen otros factores que han contribuido a este extraordinario crecimiento, como la elevada tasa de ahorro familiar, el esfuerzo de escolarización y el apoyo por parte del estado a la empresa privada, un crecimiento del que se han visto beneficiados los llamados «cuatro dragones» (Corea del Sur, Taiwán, Hong Kong y Singapur) y China, pero también la mayoría de países de la región, especialmente India e Indonesia. Si África y Latinoamérica no han podido beneficiarse de la globalización en la misma medida es, en parte, debido a fenómenos propios de sus economías.

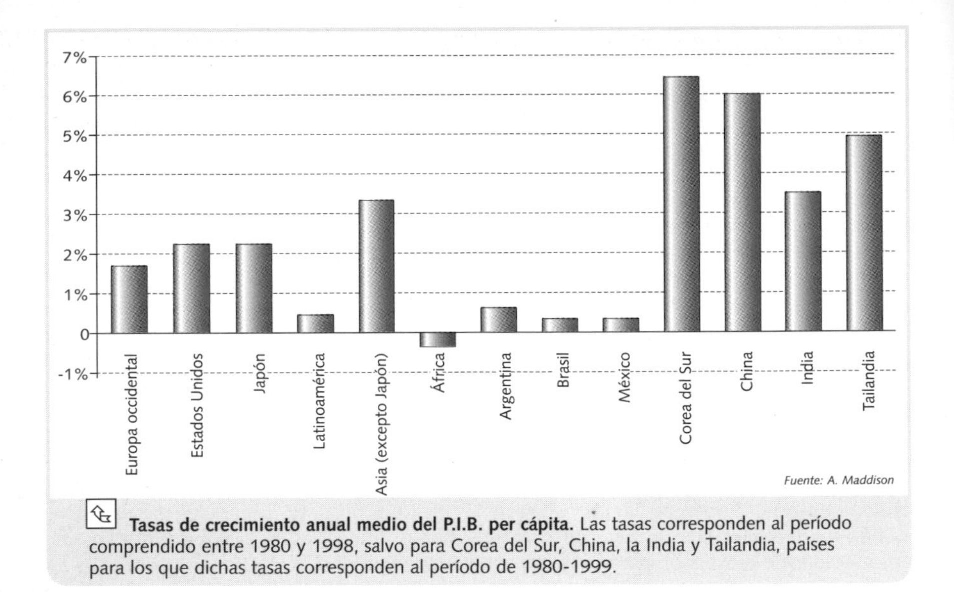

Tasas de crecimiento anual medio del P.I.B. per cápita. Las tasas corresponden al período comprendido entre 1980 y 1998, salvo para Corea del Sur, China, la India y Tailandia, países para los que dichas tasas corresponden al período de 1980-1999.

Aplicabilidad de las reformas propuestas por los grupos antiglobalización

La famosa tasa Tobin sobre las transacciones financieras en los mercados de divisas ha sido objeto de numerosas críticas. Efectivamente, dicha tasa no puede ser aplicada unilateralmente por un país aislado, pues haría huir a los capitales, por lo que requeriría un amplio consenso por parte de las naciones desarrolladas, un consenso que, dada la divergencia de intereses de los distintos estados, parece poco probable. Además, si es muy pequeña no tendrá ninguna eficacia, y si es demasiado elevada reducirá el número de operaciones no especulativas necesarias para el comercio internacional y la cobertura de riesgos, lo que frenaría la producción mundial. Finalmente, uno de los reproches que se le hacen a dicha tasa es que se aplique a todas las transacciones, y concretamente a las conversiones entre las tres monedas más fuertes (el dólar, el yen y el euro) a pesar de que, en principio, está únicamente destinada a impedir la ofensiva especulativa contra determinadas divisas secundarias (las de los países emergentes).

Asimismo, el gravamen de las inversiones directas entrantes en función del incumplimiento de la Carta de derechos de los trabajadores de la O.I.T. plantea varias cuestiones polémicas. Por un lado, ni los países de origen ni los destinatarios tienen interés alguno en frenar un flujo de capitales que contribuye notablemente al desarrollo de los segundos. Sería, pues, necesario que fuera una institución internacional la que se encargara de aplicar dicho impuesto para instar a los países destinatarios a instaurar un verdadero derecho laboral e inducir, asimismo, a los países de origen a no invertir en países que no protegen a sus trabajadores. Pero cabe que sea peor el remedio que la enfermedad, pues en dicho caso los capitales irían a parar a otros países cuyos gobiernos aún se sentirían menos obligados a modificar su legislación en materia laboral, lo que, en suma, frenaría su desarrollo.

Brasil, enero de 2002. José Bové, el líder de la Confederación campesina arrancando plantas de OGM en Nao Me Toque, una explotación de la empresa Monsanto.

La condonación de la deuda

La condonación total de la deuda de los P.E.D., un proyecto a priori generoso y atractivo, plantea la polémica cuestión del mensaje que se transmite a los gobiernos poco escrupulosos porque, si se asume que cualquier deuda puede ser perdonada un día u otro, ¿para qué habría que pagarla? Es cierto, sin embargo, que parece justificado realizar un esfuerzo en favor de los países más pobres. De hecho, en 1996, y a iniciativa del F.M.I. y el Banco mundial, se elaboró un programa que iba encaminado en esta dirección y mediante el cual 41 países fuertemente endeudados pudieron acceder a fuentes de financiación a bajo coste, a condición de aplicar un programa de reajuste estructural.

En definitiva, el análisis de los argumentos de los defensores de la actual globalización mundial, así como de los grupos antiglobalización, revela que los principios generales que unos y otros esgrimen deben contextualizarse debidamente en los países afectados, pues lo que es válido para los países de Asia, de rápido desarrollo, puede resultar peligroso para otras regiones con estructuras económicas y políticas muy distintas. Y del mismo modo, lo que preconizan los organismos internacionales como un remedio anticrisis infalible, basándose en el éxito de los resultados obtenidos en un caso concreto, puede resultar pernicioso para otras crisis de índole parecida.

La globalización ha venido marcada, a nivel de las relaciones entre estados, por la evolución hacia cierto multilateralismo no exento de tensiones y conflictos. Así, el papel visible de las multinacionales no ha logrado hacer sombra a los estados, que juegan un papel crucial ante la globalización. Éstos siguen teniendo un peso que se ha manifestado de formas distintas, ya fuera a través del unilateralismo o del multilateralismo. Así, a pesar de la existencia de instrumentos para la cooperación —como la O.M.C.— la constitución de uniones a nivel regional está contribuyendo notablemente a crear nuevos frentes de tensión.

Manifestación en Bélgica contra el G.A.T.T. en 1993

Relaciones de poder y cooperación

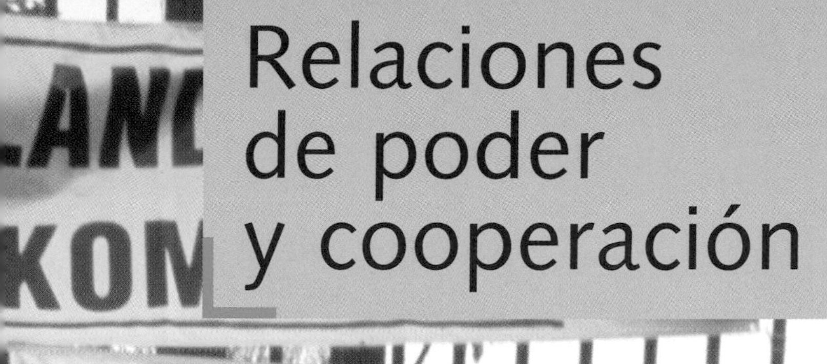

Relaciones de poder y cooperación

Actualmente el estado es uno de los actores clave de la globalización. La concepción y la naturaleza del papel que desempeña el estado varía según las distintas escuelas de pensamiento, pero todas coinciden en atribuirle un importante rol económico.

Los estados-nación como actores de la economía mundial

Parece que en el actual movimiento de globalización los propietarios del capital y los gestores empresariales juegan un papel clave. Al tiempo que las fronteras tienden a desvanecerse, aumentan los medios financieros de los que disponen las empresas y las decisiones políticas se ven fuertemente influenciadas por la situación económica interna de los distintos países. Este enorme peso de las relaciones comerciales nos lleva a plantear la siguiente pregunta: ¿puede decirse que el estado, que encarna la elección de los ciudadanos que pertenecen a la misma nación, sigue siendo uno de los actores principales de las relaciones económicas internacionales? Sin duda la respuesta es afirmativa, en la medida en que el poder público determina, a través de su política, una serie de elementos cruciales para la economía nacional y se encarga de gestionar las relaciones con el exterior, ya sean éstas conflictivas o cooperativas. Efectivamente, mientras los economistas suelen privilegiar el comportamiento de las empresas, los consumidores y los politólogos, por su parte, consideran que el principal actor de las relaciones internacionales no es el empresario, sino el estado. Posiblemente la verdad se halle entre estas dos visiones tan extremas, pues el hecho es que la historia de las ideas económicas revela la existencia de un verdadero debate en torno a este punto.

Mercantilismo y liberalismo

Durante los siglos XV y XVI en los que Europa descubrió las enormes riquezas del continente americano y las ventajas de la acumula-

David Ricardo (1772-1823) es uno de los representantes más conocidos de la escuela clásica. Rechaza la intervención por parte del estado en los intercambios comerciales de un país y considera que el libre comercio es de gran importancia.

ción de un capital susceptible de generar beneficios, el pensamiento de los economistas se centraba en tratar de justificar este tipo de actividad a través de la corriente mercantilista. Para dichos economistas la riqueza de las sociedades no era consecuencia de la producción de objetos materiales sino de la acumulación de los metales preciosos obtenidos mediante la exportación de mercancías al extranjero. En esta concepción, el estado juega un papel crucial y su enriquecimiento se equipara al de la nación en sí. Por otra parte, el mercantilismo considera que el poder político debe permitir a los países obtener un excedente comercial mediante la aplicación de medidas proteccionistas.

Este intervencionismo fue posteriormente objeto de severas críticas por parte de los fundadores de la ciencia económica actual, los clásicos ingleses de los siglos XVIII y XIX. Para ellos, el estado no debe interferir en la vida económica, y especialmente en el comercio con el extranjero. Así, el libre funcionamiento de los mercados, y particularmente de los extranjeros, debería dar lugar, mediante una utilización óptima de las ventajas que posee cada nación, a un crecimiento de la producción mundial y, en consecuencia, al enriquecimiento de todas las naciones. Para ello hay que suprimir cualquier tipo de política comercial, e incluso la política económica, y el estado debe limitarse a ejercer únicamente sus potestades: la policía, la justicia y la defensa nacional. Al contrario que los mercantilistas, los economistas de la escuela clásica rechazan el concepto de estado-nación.

La concepción marxista de las relaciones económicas internacionales

Para la visión marxista de la historia, las relaciones entre las clases sociales constituyen la base de la explicación de los fenómenos económicos. Por consiguiente, el estado sólo es una institución que sirve de punto de apoyo a la clase capitalista para organizar el proceso de producción y comercialización en función de su propio provecho. Por su parte, el comercio exterior le proporciona una plusvalía suplementaria a costa de los obreros, pues le permite importar, en condiciones de precio favorables, los productos alimenticios y las materias primas que los obreros necesitan. Del mismo modo, para el sistema capitalista las exportaciones ofrecen la posibilidad de obtener más plusvalías. Lenin amplió el análisis de Marx mediante la introducción del concepto de imperialismo, que es el «estadio supremo del capitalismo». Según Lenin, el imperialismo es un estado del mundo caracterizado por la existencia de monopolios financieros que exportan las mercancías e invierten el capital en la periferia del mundo capitalista para beneficio propio. Los grandes monopolios terminan repartiéndose el mundo, ya sea uniéndose temporalmente (cartels, trusts) o bien enfrentándose entre ellos con el apoyo ocasional de los estados de las naciones a las cuales pertenecen.

Grupos de interés e interés general

Para el análisis económico contemporáneo, el estado es un agente económico de pleno derecho que ejerce tres funciones: la asignación de los recursos (en caso de incapacidad por parte del mercado), la redistribución (política fiscal y de transferencias) y la estabilización (medidas coyunturales para combatir el desempleo o la inflación). Sin embargo, no se considera la encarnación del grupo nacional, sino únicamente como un agente más que compite con los productores y consumidores para lograr determinados objetivos concretos que el mercado no puede alcanzar por sí mismo de manera espontánea. Según esta concepción, los órganos políticos no necesariamente representan el interés general sino que, ocasionalmente, pueden actuar como simples representantes de intereses particulares, de lobbies o, en el mejor de los casos, arbitrar entre los beneficios de éstos y el interés colectivo. Esta visión del estado tampoco otorga demasiado peso al concepto de estado-nación, puesto que la motivación principal que impulsa a los órganos del poder político es únicamente su voluntad de ser elegidos o reelegidos.

Una visión más política: la economía política internacional

La economía política internacional considera que las relaciones internacionales siempre han tenido una fuerte dimensión política y que los principales o únicos actores de estas relaciones son los estados, y no los productores ni los consumidores. Por un lado, la corriente realista, que en cierto modo constituiría una prolongación del pensamiento de Maquiavelo, recogida en los escritos de Friedrich List, centra su visión en los conflictos. Así, el poder de un estado determinado se basa en los recursos naturales de los que dispone, en la demografía, en las dimensiones de su territorio y en el arsenal militar que posee. En consecuencia, la economía únicamente es un medio para afirmar el poder de un país determinado frente al resto del mundo. Desde esta perspectiva, el comercio internacional nunca es un «juego de suma positiva» en el que todos sus participantes salen ganando, sino que se concibe como un «juego de suma cero» en el que las pérdidas de los dominados equilibran los beneficios de los dominantes.

La corriente neoliberal matiza la concepción beligerante de las relaciones entre los estados propia de los realistas y afirma que los estados no son omnipotentes, sino que comparten el poder con otros actores económicos, y especialmente con las multinacionales. Por otra parte, según este análisis, los estados persiguen un beneficio más relativo que absoluto. Así, preferirán ganar poco si el otro pierde más, que ganar mucho si el otro gana. En definitiva, al contrario que la corriente realista, que niega toda forma de cooperación, los neoliberales defienden la existencia de coaliciones que proporcionan a sus miembros la oportunidad de obtener un beneficio relativo.

Friedrich List (1789-1846) fue un economista alemán que se hizo famoso por defender el «proteccionismo educativo» según el cual cualquier país, en la fase inicial de su crecimiento, debe proteger aquellas ramas de la economía que sean necesarias para su despegue económico.

Los estados-nación y la organización económica mundial

Al examinar la historia se puede constatar la existencia de varios tipos de organización económica que atienden a distintas concepciones del poder del estado así como a la presencia de una potencia dominante.

Los estados-nación y el sistema comercial mundial

El interés por las acciones y motivaciones del estado, que constituye la base del funcionamiento de la política internacional, permite contraponer distintos sistemas comerciales. Así, según el sistema mercantilista, que fue adoptado entre los siglos XVI y XVIII por las grandes potencias y fue desarrollado por los economistas de dicha escuela, los estados rechazan la competencia, imponen barreras para proteger a sus industrias y rehúsan cualquier forma de acuerdo al tiempo que no hacen ningún tipo de concesión ni toleran ninguna restricción que pueda afectar al ejercicio de su soberanía nacional.

Durante la primera revolución Industrial el sistema mercantilista fue reemplazado por un sistema de cooperación limitada. A finales del siglo XVIII, y sobre todo entre 1860 y 1914, varios países europeos firmaron acuerdos bilaterales para reducir o eliminar las barreras a la importación, acuerdos que sólo se concluían cuando los estados consideraban que sus economías eran capaces de hacer frente a la competencia extranjera. En este sentido, el acuerdo comercial establecido entre Francia y el Reino Unido en 1860 fue, cuando menos, simbólico (véase capítulo 2) en la medida en que denotaba la voluntad por parte de ambas potencias de salir de su aislamiento comercial e instaurar

Jean-Baptiste Colbert (1619-1683), ministro de Luis XIV, fue el responsable de aplicar en Francia las ideas del mercantilismo. Colbert potenció el desarrollo de la flota naval y del comercio mediante la imposición de barreras a las importaciones.

una cooperación limitada que resultara beneficiosa para ambas. En Europa, dicho acuerdo dio lugar a la proliferación de acuerdos bilaterales similares. Aunque la apertura de los países no era total, pues salvo el Reino Unido el resto seguía manteniendo algunos obstáculos, y aunque a finales de siglo se reimplantó un proteccionismo aún más acusado, había nacido un nuevo sistema comercial basado en la cooperación bilateral. La crisis de 1929 supuso el fin de dicha cooperación, pues todos los estados, y especialmente Estados Unidos, pusieron todo su empeño en aislar a sus economías del resto del mundo y hacerse con una zona comercial privilegiada a la cual poder exportar sin tener que hacer frente a la competencia de los otros. Al bilateralismo le sucedió entonces una verdadera anarquía económica que no hizo más que agravar la crisis que posteriormente acabaría desembocando en la segunda guerra mundial.

Multilateralismo y hegemonía

En el período posterior al restablecimiento de la paz mundial se empezaron a aplicar nuevas formas de cooperación basadas en el multilateralismo, concretamente en el ámbito comercial. En esta coyuntura surgió el G.A.T.T. (acuerdo general sobre aranceles aduaneros y de comercio) que fue periódicamente renovado entre un número creciente de países para organizar la reducción coordinada de determinadas barreras comerciales. La finalidad del G.A.T.T. era permitir a los estados signatarios que se beneficiaran de las ventajas concedidas por las otras partes contratantes sin tener que recurrir a negociaciones bilaterales específicas, lo que permitía dejar definitivamente atrás la era del bilateralismo y del enfrentamiento bélico. Sin embargo, el sistema mundial del G.A.T.T. no guardaba demasiada relación con el librecambismo pues, en realidad, dejaba muchos ámbitos fuera de las negociaciones, como la agricultura y los servicios. Por lo demás, admitía la creación de uniones regionales, lo que se contradecía directamente con el principio de no-discriminación, una de las bases del multilateralismo. En definitiva, este tipo de negociaciones comerciales multilaterales poseía un espíritu bastante cercano al mercantilismo puesto que el objetivo de los estados seguía siendo priorizar la salida de sus propias exportaciones. Asimismo, la eliminación de las barreras a la importación se seguía percibiendo, más que como una clara fuente de beneficios, como un sacrificio inevitable.

En principio, tanto el sistema del G.A.T.T. como el multilateralismo al que dio lugar parecían garantizar cierta igualdad entre los estados-nación. Pero, en realidad, estaba más bien basado en una organización jerárquica del mundo en la que Estados Unidos poseía un rol claramente predominante.

Evidentemente, dicha primacía estaba directamente relacionada con su poder económico frente a un mundo que se recuperaba con dificultades de la guerra, así como a su posición de líder en la guerra fría que enfrentaba a los países de la O.T.A.N. (organización del tratado del Atlántico norte) con los del bloque del Este y se puso de manifiesto en las principales rondas de negociaciones del G.A.T.T. (ronda Dillon, 1960-1961; ronda Kennedy, 1964-1967; y ronda Tōkyō, 1973-1979) que no lograron alcanzar ningún acuerdo al que Estados Unidos no hubiera dado previamente su aprobación. Es cierto que desde finales de la década de 1950 Europa poseía una potencia comercial superior, lo que le otorgaba un papel importante. Pero las principales iniciativas que se tomaban, como la celebración de una nueva ronda de negociaciones, la definición del programa de negociaciones o el

El G.A.T.T.

En 1947 firmaron el G.A.T.T. 23 países, un acuerdo que fue sucesivamente renovado hasta 1994 y que incluía a un número creciente de países signatarios.

Principios básicos

- La reciprocidad: cada parte contratante hace concesiones comerciales para poder beneficiarse de las concesiones realizadas por las otras partes.
- La no-discriminación (cláusula de la nación más favorecida o N.M.F.): las ventajas concedidas a una de las partes se conceden automáticamente al resto.
- Los únicos obstáculos comerciales aceptados son los derechos de aduana.
- La consolidación de los aranceles: cada parte se compromete a no imponer aranceles superiores a los declarados durante la anterior ronda de negociaciones.
- El trato nacional: salvo la tasación mediante un derecho de aduana, los bienes importados deben recibir el mismo trato que el que reciban los bienes nacionales similares.

Precisiones a los principios básicos

- En situaciones concretas, los países pueden estar autorizados a defenderse, por ejemplo, si su balanza de pagos experimenta un fuerte desequilibrio, si el país posee un bajo nivel de vida (en el caso de los países en vías de desarrollo) o si las importaciones amenazan gravemente un determinado sector (cláusulas de salvaguardia del artículo XIX).
- Medidas compensatorias: el país que sea víctima de un perjuicio comercial está autorizado a tomar medidas compensatorias frente a las empresas extranjeras implicadas y especialmente si dichas empresas practican el *dumping* (precio de exportación inferior al doméstico o al de coste) o perciben subvenciones a la importación.
- Los países que formen parte de una unión económica (como la U.E.) están autorizados a infringir el principio de no-discriminación.
- Se autoriza la aplicación de O.N.A. (obstáculos no arancelarios) a la agricultura y la pesca así como en caso de desequilibrios profundos de la balanza de pagos o de la necesidad de aumentar el nivel de vida de la población
- Los países en vías de desarrollo (P.E.D.) gozan de un régimen particular más favorable, el S.G.P. (sistema generalizado de preferencias).

desbloqueo de los conflictos, dependían en última instancia de la voluntad de los negociadores estadounidenses. Esta primacía aún era más marcada en el ámbito monetario. Así, el F.M.I., creado a raíz de los acuerdos de Bretton Woods de 1944, no fue más que el reflejo del proyecto americano, pues las propuestas que hizo el prestigioso economista John Maynard Keynes, representante de Gran Bretaña, fueron totalmente desestimadas.

Desde el principio Estados Unidos ha sido el país con mayor peso en el F.M.I., pues su número de votos está vinculado a la participación de capital que posee en dicha institución. En 2002, Estados Unidos poseía el 18,3 % del capital, mientras que Alemania era propietaria del 5,7 % y Francia del 5,1 %. Por su parte, el conjunto formado por los P.E.D. y los países en transición representaba el 28,6 %.

El ejercicio del poder hegemónico

La historia nos ofrece un gran número de ejemplos de países que, basándose en su poder económico y político, definen de un modo más o menos explícito las reglas económicas del mundo. Éste es el caso del imperio romano en la antigüedad, de las Provincias Unidas durante el siglo XVI, del Reino Unido durante el siglo XX, y de Estados Unidos desde 1945.

De hecho, la supremacía del país hegemónico no suele ejercerse de manera simultánea en todos los ámbitos (industrial, comercial, y financiero), por lo que el interés de dicho país en aceptar la apertura depende de una serie de elementos que, en ocasiones, pueden contraponerse entre sí. Existen por lo menos dos argumentos a favor de la autarquía económica: el primero es el del arancel óptimo en virtud del cual el país hegemónico, al protegerse, obliga al resto de países a venderle a mejor precio los bienes que importa; y el segundo el de la teoría realista según la cual el país hegemónico no desea que otros países menores puedan beneficiarse de las ventajas del libre comercio. Del mismo modo, el país hegemónico también puede tener interés en abrir sus fronteras por varias razones. Por un lado, le resulta más fácil ejercer su predominio tecnológico si puede exportar y complacer a los lobbies que defienden la apertura del país. Pero como, además, no desea que los países que le rodean se endeuden, permite que sus socios comerciales exporten a su territorio. Por otro lado, algunos países especialmente frágiles, debido a las dificultades del libre comercio, se acercan a la órbita del país hegemónico, lo que contribuye también a fortalecer su poder. Ésta es la lógica en la que se basó la decisión de Estados Unidos de dejar entrar a México en el T.L.C.A.N. (Tratado de libre comercio de América del Norte) a pesar de los reducidos beneficios económicos que dicha unión le proporcionaba. Generalmente, las políticas comerciales que suelen adoptar los países hegemónicos suelen diferir de manera considerable dependiendo de los distintos países y épocas. Así, por ejemplo, mientras que entre mediados de los años 1840 y 1913 el Reino Unido suprimió todas sus barreras a los intercambios comerciales, Estados Unidos, por el contrario, nunca ha renunciado ni mucho menos a protegerse, ya fuera antes o después de 1945. En consecuencia, el poder hegemónico no va necesariamente vinculado a la apertura, y aún menos a la ausencia de conflictos.

Conflictos y compromiso

Actualmente Estados Unidos sigue ejerciendo su primacía a muchos niveles, a pesar de que la competencia de Europa, Japón y los países emergentes le ha obligado a definir su política comercial fuera del marco multilateral y a adoptar estrategias en las que se entremezclan el conflicto y la cooperación.

El peso de Estados Unidos

A pesar de sus carencias a nivel industrial, desde finales del siglo XX y a principios del XXI Estados Unidos sigue jugando un papel predominante a escala internacional, tanto en el ámbito económico como en el político. En 2000 su producción constituyó el 32,5 % de la producción mundial, al tiempo que el 68,2 % de los activos oficiales en divisas tenían como moneda el dólar (el euro sólo tuvo un peso del 12,7 % y el yen del 5,3 %). Entre las primeras 100 multinacionales no financieras, 24 tienen su sede principal en Estados Unidos. Por otro lado, el presupuesto militar de Estados Unidos supera en mucho al del resto de países, y según el S.I.P.R.I. (Instituto internacional de investigaciones sobre la paz de Estocolmo) en 2001 el gasto militar de E.U.A. representó el 36 % del gasto total mundial, lo que equivale al 2,6 % del P.I.B. mundial. El final de la guerra fría, fruto del desmembramiento del bloque soviético a principios de la década de 1990, contribuyó también a fortalecer su papel como líder en términos geoestratégicos. Así, Estados Unidos fue quien tomó la iniciativa en las intervenciones militares de Kuwayt y Kosovo y también quien empleó más medios humanos y armamentísticos a pesar de que su seguridad no se hallaba directamente amenazada (que no fue el caso en la crisis de Afganistán cuya guerra, dirigida por Estados Unidos, para dicho país fue la respuesta a la agresión de la que había sido objeto el 11 de setiembre de 2001). Sin embargo, primacía no significa hegemonía absoluta. De hecho, desde mediados de la década de 1970 Estados Unidos ha experimentado un período de profundas transformaciones industriales y ha tenido que hacer frente a la competencia de los otros países industrializados así como a la de los nuevos países emergentes cuya competitividad se ha visto potenciada por su crecimiento y política económica.

Los países desarrollados frente a la competencia de los países emergentes

Las dificultades a las que se enfrentan sectores enteros de la industria estadounidense como el textil, la siderurgia y los sectores automovilístico y electrónico han empujado a sus sucesivos gobiernos a revisar la estrategia de apertura que aplicaban en virtud del G.A.T.T. Así, durante la década de 1970 y de 1980 se observó un importante resurgimiento del proteccionismo, y no únicamente en Estados Unidos. Europa, que también se sentía amenazada, empezó, asimismo, a aplicar medidas proteccionistas. Este retorno a antiguas prácticas comerciales era claramente opuesto al espíritu del G.A.T.T., que en 1995 fue finalmente reemplazado por la Organización mundial de comercio (O.M.C.) mediante la cual se lograron alcanzar compromisos relativos a esta demanda de protección que se tradujeron en la adopción de R.V.E. (restricciones voluntarias a la exportación) por parte de algunos países con el objetivo de frenar sus exportaciones. A pesar de ello el endurecimiento de las distintas posiciones y la guerra comercial pura y dura siguen hallándose en plena efervescencia.

John Von Neumann (1903-1957), matemático estadounidense, es el inventor de la teoría de los juegos. Esta teoría, que estudia las estrategias que utilizan los jugadores para maximizar sus ganancias, se aplica también a problemas económicos.

La «teoría de juegos»

Los economistas suelen utilizar una teoría elaborada por Von Neumann (1903-1957) en 1928 conocida como «teoría de Juegos» para simular las consecuencias de las estrategias de conflicto o cooperación. A partir del ejemplo conocido como «el dilema del prisionero» demuestran cómo en determinadas circunstancias el cálculo racional del estado de un país que posee un elevado poder económico a escala mundial y que anticipa las distintas actitudes posibles del estado de otro país, también poderoso, le lleva invariablemente a imponer barreras. Según dicha teoría, todos los países aplican como estrategia principal cerrar, por lo menos en parte, sus fronteras a los productos del otro país con el objetivo (en vano) de obtener de este modo beneficios a expensas de su competidor. Pero el análisis que proporciona el dilema del prisionero resulta claramente insatisfactorio en la medida en que presenta la cooperación como si únicamente se tratara de un medio y no de un objetivo. Concebir la cooperación como un objetivo, en cambio, implica considerar que cada uno de los jugadores (o estados) asigna un precio a la cooperación (con la esperanza, por ejemplo, de obtener una ventaja política a nivel internacional) aunque ello le suponga renunciar a todo o a parte de un beneficio económico más inmediato. Este tipo de cooperación se corresponde más a la realidad.

La política comercial de Estados Unidos: ¿unilateralismo o cooperación?

Estados Unidos está marcado por una fuerte tradición proteccionista. El congreso, es decir, el poder legislativo, es el que en principio puede decidir en materia comercial. En ocasiones el presidente puede conseguir que el congreso le conceda un procedimiento de negociación conocido como de «vía rápida» (*fast track*) que le permite la aprobación de un acuerdo comercial en un plazo breve y sin posibilidad de enmienda. El U.S.T.R. (*U.S. trade representative*), el ministerio de Comercio y el U.S.I.T.C. (*U.S. international trade commission*) son las instituciones que conforman el eficaz dispositivo de gestión de la política comercial estadounidense desde la crisis del petróleo. De este modo, los E.U.A. adopta numerosas medidas proteccionistas unilaterales sin acuerdo ni aceptación por parte los órganos de decisión del G.A.T.T. y en contra de los países industrializados y emergentes. De hecho, el número de expedientes *antidumping* presentados por E.U.A., que entre 1974 y 1984 fue de 286, pasó a 359 entre 1985 y 1992; y la misma tendencia siguieron los expedientes antisubvención. A pesar de que la apertura de un expediente no constituye en sí misma una medida de represalia, sí conlleva cierta amenaza de reducción de las exportaciones para los países extranjeros. En consecuencia, en el fondo constituye una eficaz estrategia comercial. Además, muy a menudo dichos expedientes van acompañados de derechos compensatorios. Así, de los 293 expedientes antisubvención presentados entre 1981 y 1991, 204 dieron lugar a derechos compensatorios provisionales y 127 se resolvieron con derechos compensatorios definitivos.

Otra de las armas utilizadas en política comercial es la del bilateralismo. Entre 1975 y 1995, e incluso desde la creación de la O.M.C., Estados Unidos ha intentado controlar sus importaciones y dar salida a sus productos firmando acuerdos bilaterales fuera del G.A.T.T., y, especialmente, con los países asiáticos. Entre 1986 y 1992 E.U.A. firmó unos seis acuerdos de este tipo con Japón relativos a productos como semiconductores, ordenadores, piezas de automóvil, satélites de comunicación, papel y cristal.

La política comercial europea

A nivel comercial, la Comunidad europea, que en 1993 pasó a convertirse en la actual Unión europea, es una unión aduanera, es decir, una zona de libre comercio cuyos países aplican una política comercial común con respecto al exterior. La Comisión europea es la encargada de dictar los principios de dicha política, que luego somete al consejo de ministros, quien se encarga de aprobarla por mayoría cualificada. Posteriormente, en caso de aceptar las disposiciones resultantes, la Comisión es la encargada de garantizar su aplicación. Y la Comisión es también la que negocia directamente con la O.M.C. Sin embargo,

La sede de la O.M.C. en Ginebra. El cometido principal de la Organización mundial del comercio es establecer un marco de referencia para evitar los efectos nocivos de la libre competencia.

el hecho de que la Unión europea esté formada por un conjunto de países con intereses a menudo divergentes contribuye a debilitar su posición en las grandes rondas de negociaciones comerciales o en su fase preparatoria. En la década de 1970, y ante la creciente competencia de los nuevos países emergentes, la Comunidad europea aprobó algunas disposiciones parecidas a las adoptadas por Estados Unidos al tiempo que multiplicó sus demandas de apertura de expediente por *antidumping* contra los países asiáticos y Japón. Las tres cuartas partes de dichas demandas dieron lugar a la adopción de medidas unilaterales para limitar las importaciones así como a la firma de acuerdos de restricción voluntaria de las exportaciones. En 1984 la Comunidad europea creó un instrumento de política comercial parecido al *Trade act* de 1974 que, bajo el nombre de N.I.P.C. (nuevo instrumento de política comercial) permitía a los productores europeos presentar una demanda ante la Comisión en caso de que consideraran ser objeto de competencia desleal para que ésta tomara las medidas pertinentes destinadas a reparar dicho perjuicio.

Multilateralismo y regionalismo

En medio de este clima de tensión, en 1995 se creó la O.M.C. para remplazar el G.A.T.T. con el objetivo de coordinar mejor las políticas comerciales y reducir las barreras al libre comercio al tiempo que, paralelamente, se establecían uniones regionales que contradecían claramente el objetivo de multilateralismo perseguido por la O.M.C.

La O.M.C., un nuevo marco para el multilateralismo

Al contrario que el G.A.T.T., que sólo era un acuerdo, la O.M.C. es una institución de pleno derecho fundada en abril de 1994 a raíz del acuerdo de Marrakech y que se basa en los mismos principios que el G.A.T.T.: reciprocidad, no-discriminación y trato nacional. Su misión principal consiste en potenciar, por etapas y tomando ciertas precauciones, la libertad de comercio mediante el establecimiento de ciertas limitaciones destinadas a evitar los excesos de una competencia descontrolada. Los compromisos de los países miembros que figuran en el acuerdo de 1994, relativos a la eliminación de los obstáculos comerciales, incluyen la reducción de los derechos de aduana, la supresión progresiva de los obstáculos no arancelarios (O.N.T.) y la eliminación definitiva de las subvenciones que puedan perjudicar el comercio, y en particular de las subvenciones a la exportación. Para evitar las irregularidades cometidas en el período anterior, las acciones antisubvención sólo están permitidas si afectan a subvenciones explícitamente prohibidas o susceptibles de causar perjuicio. En el acuerdo de 1994 se incorporan además tres sectores que hasta entonces se hallaban fuera del ámbito del G.A.T.T.: la agricultura, el textil y los servicios. En el ámbito de la agricultura todos los O.N.T. deberán convertirse progresivamente en derechos aduaneros que deberán reducirse en una media del 36 % en un plazo de seis años, a partir del 1 de enero de 1995. Asimismo, también deberán reducirse las subvenciones a la exportación así como las ayudas directas. Como ya se ha comentado (véase capítulo 4) dichas disposiciones incomodan a Europa pues no sólo le obligan a reconsiderar su política agrícola y a reducir sus subvenciones a la exportación sino también a replantearse el principio que rige sus ayudas internas, que actualmente no están suficientemente desligadas de las variables económicas anuales (producción y precios). Así, por ejemplo, el Acuerdo multifibra (A.M.F.) que desde la década de 1970 protege el sector textil de los países de la

O.C.D.E., debe quedar definitivamente desmantelado como máximo en diciembre de 2004. Del mismo modo, el Acuerdo general sobre el comercio de servicios (A.G.C.S.), que forma parte del acuerdo de Marrakech, retoma los principios generales aplicables al comercio de mercancías e incluye la lista de concesiones en las que los países contratantes desean comprometerse. Pero habrá que esperar algunos años para ver cómo dichas disposiciones generales se concretan en la ratificación de acuerdos sectoriales, como el de las telecomunicaciones (febrero de 1997) o el de los servicios financieros (diciembre de 1997). En ambos casos se trata de acuerdos plurinacionales (no implican a todos los países miembros) relativos a la apertura de las fronteras y del capital a las empresas extranjeras. Dado el actual desarrollo de las tecnologías de la información y la comunicación (T.I.C.) así como la importancia de la transferencia tecnológica para el crecimiento económico, se prevé que el proceso de internacionalización de los servicios experimente una notable expansión, lo que sin duda requerirá la presencia de un organismo de coordinación. Pero como la mayoría de países temen perder su independencia en sectores especialmente sensibles, y en particular en el ámbito de la cultura, habrá que superar profundas reticencias.

La resolución de las diferencias: el O.S.D.

La creación de un órgano de solución de diferencias (O.S.D.) ha sido una de las innovaciones que otorgan a la O.M.C. parte de su originalidad. Así, los conflictos comerciales entre países pueden llevarse ante la O.S.D., que a su vez designa a un grupo especial de expertos para que examinen el caso y diriman. Posteriormente, la O.S.D. debe proceder a ratificar la decisión del comité, salvo que reciba un voto unánime en contra. Desde su creación en 1995, la O.M.C. ha debido hacer frente a un gran número de demandas en comparación a las que había resuelto el G.A.T.T. Así, entre 1995 y 2002 se presentaron ante la O.M.C. 243 demandas, es decir, un número superior a las que se gestionaron durante los 48 años de existencia del G.A.T.T. El enorme éxito del órgano jurisdiccional de la O.M.C. da prueba de su legitimidad real en contra de lo que sostienen sus detractores, y de facto confirma el hecho de que la O.M.C., al contrario que el G.A.T.T., arbitra en relación a todo tipo de obstaculos, y no únicamente los derechos de aduana. Asimismo la O.M.C. ha ampliado su campo de acción, pues además de la industria también engloba la agricultura y los servicios. También demuestra que los intercambios comerciales están vinculados a temas como el medio ambiente, la salud pública, la regulación de la competencia, la fiscalidad y la cultura, lo que multiplica la posibilidad de litigios, y más teniendo en cuenta en que en el texto fundacional de la O.M.C. dichos temas se tratan de manera poco explícita, por no decir nula. Las tres cuartas partes de las demandas son presentadas por países desarrollados, y en prácticamente la mitad de los conflictos, dichos países se hallan enfrentados entre sí. En cuanto a los litigios que ya han sido resueltos y en los que se hallaban implicado Estados Unidos, dicho país ha sido condenado de media una de cada dos veces. En consecuencia, resulta abusivo sostener que la O.M.C. es

Los conflictos ante la O.S.D. y las denuncias contra las prácticas comerciales estadounidenses

En los 243 conflictos que han sido sometidos a la jurisdicción de la O.M.C. entre 1995 y 2002, el país más frecuentemente denunciado fue Estados Unidos. Sobre este total, en 68 casos el objeto de dicha denuncia fue E.U.A., en 45 la Unión europea o algún país de la Unión, en 53 los países de Latinoamérica y en 48 los países asiáticos.

un organismo que únicamente se halla al servicio de los intereses estadounidenses. En este sentido cabe señalar que en el conflicto relativo al régimen fiscal ventajoso de las *foreign sales corporations*, que enfrentaba a E.U.A. y la Unión europea, la O.M.C. ha resuelto en contra de Estados Unidos.

Las uniones regionales

Puesto que la apertura de las fronteras a las mercancías y a los capitales extranjeros hace que las economías se vuelvan más vulnerables a la ofensiva exterior, los estados intentan constituir un mercado protegido que tenga mayores dimensiones que su propio mercado nacional y que incluya a sus vecinos. En principio, dicho regionalismo parece contrario al espíritu de la O.M.C., uno de cuyos principios fundacionales es la no-discriminación. Dentro de una unión de este tipo existen menos obstáculos que los que afectan a las mercancías y capitales objeto de comercio con países no pertenecientes a dicha unión. Así pues, y puesto que se aplican dos regímenes distintos, los países ajenos a la unión podrían desempeñar el derecho de queja.

La época contemporánea está marcada por un evidente ascenso del regionalismo tanto a nivel institucional como comercial. En lo relativo al ámbito institucional, por ejemplo, en 2002 la O.M.C. recibió la notificación de la firma de 161 acuerdos regionales, 125 de los

El edificio Justus Lipsus de Bruselas, sede del Consejo de la Unión europea. Los países de la U.E. pueden, en el marco de la O.M.C., derogar el principio de no discriminación, según el cual las ventajas que se otorgan a un país miembro deben ser automáticamente concedidas al resto.

cuales trataban sobre la constitución de zonas de libre comercio (como el A.E.L.C., el T.L.C.A.N. y los acuerdos entre la Unión europea y los países del área euromediterránea), y 14 sobre la creación de uniones aduaneras o mercados comunitarios (como la Unión europea o Mercosur). A nivel comercial, también se observa un aumento mucho más rápido de los intercambios comerciales intrazonales que de los intercambios interzonales. Esta intensificación de los flujos interregionales se puede constatar a medio plazo en el aumento de la proporción de dichos flujos en el comercio mundial, un aumento vinculado, sin duda, al incremento de los flujos internos en Norteamérica y Asia.

La doctrina de la O.M.C. constituye la confirmación de que la creación de uniones regionales supone un paso hacia un multilateralismo total, más que un regreso hacia un proteccionismo que ya no es de país, sino de zona, pues es cierto que la O.M.C. no obliga a las uniones de nueva creación a suprimir sus obstáculos comerciales con respecto al resto del mundo. Sin embargo, los riesgos derivados de la constitución de estos vastos espacios comerciales, como la Unión europea, el A.L.E.N.A., el Mercosur o el A.S.E.A.N. implican que en el futuro el mundo acabe siendo una suma de bloques que se enfrenten entre sí a través de guerras comerciales que, en la medida en que el peso económico de cada uno de estos bloques también sea superior, resulten aún más duras.

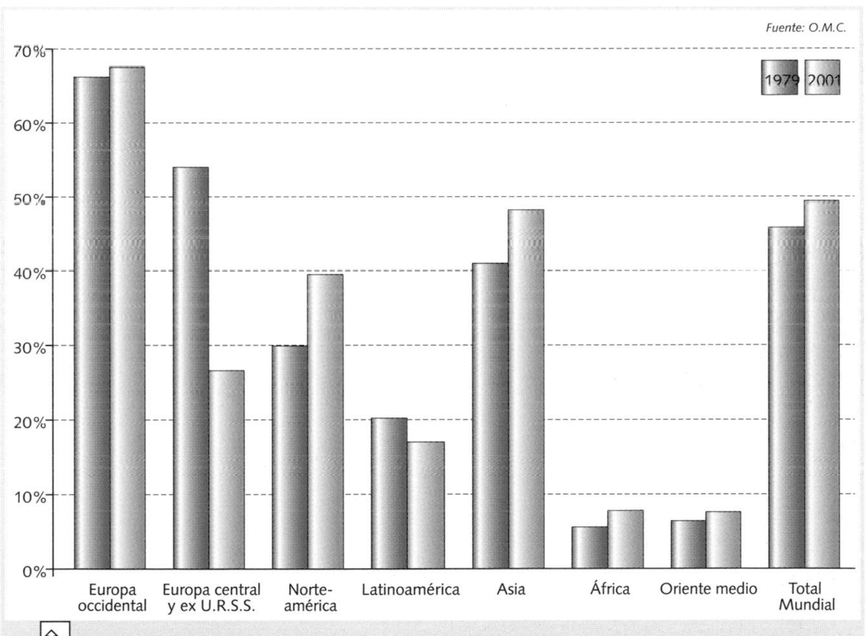

Comercio intrarregional, en porcentaje sobre las exportaciones de la región (1979-2001). La columna «Total mundial» hace referencia a la totalidad de los flujos intrarregionales del comercio mundial. México se ha incluido en el grupo de Latinoamérica.

La evolución de la economía internacional en todo su alcance —globalización de los intercambios comerciales y de los movimientos de capitales— debe tener en cuenta la heterogeneidad de sus «actores», con ritmos de crecimiento y niveles de vida muy distintos. Una heterogeneidad que se expresa esencialmente a través de factores demográficos, culturales y medioambientales que deben tenerse en cuenta al plantearse las condiciones del desarrollo económico para evitar que las generaciones futuras deban pagar por las decisiones del presente. De este deseo por mirar más allá del horizonte económico surgió la idea del desarrollo sostenible para devolverle al ser humano su papel central en la globalización.

Río de Janeiro, 1991

Perspectivas de futuro

Perspectivas de futuro

La evolución de la economía mundial en los próximos cincuenta años dependerá esencialmente de factores a largo plazo sobre los que los estados sólo ejercen un control muy parcial.

Tanto la demografía como la producción dependen de tendencias muy marcadas. En el futuro, el crecimiento económico, aunque con un reparto muy desigual, hará surgir nuevas relaciones de fuerza entre las naciones así como el riesgo de problemas medioambientales graves, a menos que se adopten procedimientos de concertación destinados a preservar las riquezas naturales del planeta. Pero para impulsar un proceso de desarrollo duradero hay que crear primero nuevos mecanismos de gobernabilidad mundial cuya puesta en marcha aún es una incógnita.

Ni la globalización del comercio ni el movimiento de capitales poseen la misma intensidad en todas las regiones.

Por consiguiente, a inicios del siglo XXI el mundo sigue siendo un espacio eminentemente heterogéneo, tanto en términos de ritmo de crecimiento como de nivel de vida. Esta fragmentación del planeta en distintos bloques también es consecuencia de la evolución demográfica, que en el caso de Europa es especialmente preocupante. Y además también se están produciendo profundas reestructuraciones, ya sea como resultado de la creación de nuevos espacios comunitarios como el T.L.C.A.N., o en forma de desmembramiento de los espacios económicos existentes, como el que constituían la ex U.R.S.S. y los países del Este antes de 1991.

Una madre y su hija en Inglaterra. La pirámide de edades de Europa occidental muestra una preocupante tendencia al envejecimiento que está estrechamente relacionada con el descenso de la natalidad.

Predicciones del peso demográfico y del peso económico para 2030

A largo plazo, la potencia económica de un país depende, en gran parte, del volumen y estructura de su población, dos factores que condicionan el poder de su fuerza de trabajo, el potencial de creatividad y el peso de las transferencias tecnológicas sobre las que basa su crecimiento.

Dinamismo demográfico y población activa

Entre 1970 y 2000, la población mundial aumentó un 66 %, pero dicho incremento tuvo una distribución muy desigual en las distintas regiones. Así, la «vieja» Europa del Oeste, cuya natalidad sigue siendo muy reducida, sólo creció un 16 % en comparación con Asia (excluyendo a Japón) con un 60 %; Latinoamérica creció en un 86 %, África subsahariana en un 122 % y Norteamérica (excluyendo a México) en un 35 %. Estas divergencias están esencialmente relacionadas con las diferencias entre la tasa de natalidad y la de mortalidad. Así, mientras que la segunda se ha reducido en todo el mundo, la tasa de natalidad se ha mantenido más elevada en las regiones emergentes, por lo que su población ha crecido más rápidamente que la de los países industrializados. Así, entre 1970 y 2000, todas las regiones industrializadas, salvo Norteamérica, experimentaron un crecimiento anual medio inferior al 1 % mientras que los países menos desarrollados lo hacían a un ritmo de entre el 1,4 % (China) y el 2,8 % (África del norte y Oriente medio). Según las proyecciones demográficas de la O.N.U. para 2030, la evolución experimentada durante los últimos treinta años se acentuará en el futuro. Así, a pesar de que el crecimiento demográfico se está ralen-

Barrio pobre en México, 1996. En términos generales Latinoamérica posee una natalidad elevada.

tizando (un 35 % en treinta años, por lo que la población mundial pasará de tener 6 000 millones en 2000 a 8 100 en 2030), la tasa correspondiente a Europa occidental, central y oriental así como a Japón y Norteamérica (excluyendo a México) va a reducirse en beneficio de Asia (excluyendo a Japón), Latinoamérica, África y Oriente medio.

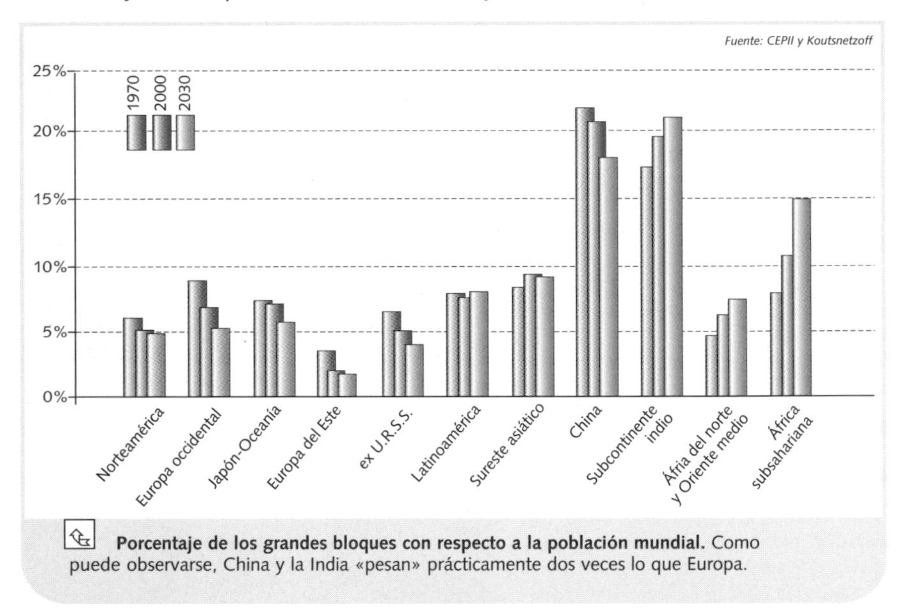

Porcentaje de los grandes bloques con respecto a la población mundial. Como puede observarse, China y la India «pesan» prácticamente dos veces lo que Europa.

La regresión demográfica que han experimentado en términos relativos tanto Europa como Japón, esencialmente relacionada con el envejecimiento de la población, dará lugar a una clara reducción de su población activa (entre los 15 y los 64 años) para el período 2000-2030. Según las proyecciones de la O.N.U., dicha recesión puede alcanzar una media del 0,2 % anual en Europa occidental, un 0,3 % en Japón y un 0,4 % en Europa del Este. Por el contrario, tanto Norteamérica como las regiones menos desarrolladas del planeta experimentarán un importante aumento de su población activa, lo que contribuirá positivamente a su crecimiento. Así, el incremento medio anual de la población activa de Norteamérica será del 0,4 %, el de China del 0,5 %, el de Latinoamérica del 1,3 % y el del África subsahariana del 2,7 %.

El aumento de la producción: diferencias a favor de los países menos desarrollados

Las proyecciones demográficas para 2000-2030 permiten determinar la trayectoria que seguirá el crecimiento económico basándose en hipótesis verosímiles sobre la evolución del progreso técnico. Así, según Nina Kousnetzoff, que se basa en la hipótesis de que en el futuro el ritmo del progreso técnico será el mismo que el de los últimos treinta años, excepto en el caso de Estados Unidos, Europa occidental y el Asia desarrollada, donde se prevé un nivel algo superior, el aumento de la producción mundial no será muy distinto al del período 1970-2000, es decir, una media anual del 3 % entre 2000 y 2030 en contraste con el 3,3 % de los treinta años anteriores. Esta continuidad es consecuencia de dos fenómenos que se compensan entre sí: la estabilización del crecimiento en las regiones más desarrolladas, y sobre todo en Asia (que a pesar de ello seguirá presentando niveles elevados de crecimiento), y una importante recuperación tanto en la ex U.R.S.S. como en el África subsahariana. En el caso de Europa occidental, Norteamérica, Japón y Oceanía dicho crecimiento, en lugar de acelerarse, se producirá en tasas medias anuales cercanas a las anteriores, e incluso inferiores. Por el contrario, tanto Europa del Este como la ex U.R.S.S. compensarán su desventaja demográfica mediante un incremento importante de su productividad.

Asimismo, Latinoamérica mostrará un crecimiento parecido al experimentado durante el período anterior en la medida en que los escasos progresos realizados en el ámbito técnico se verán compensados por el aumento de su población activa. Por su parte, los países asiáticos deberían alcanzar tasas muy superiores a las de las regiones desarrolladas, pero algo inferiores a las que obtuvieron entre 1970 y 2000. Esta ralentización del crecimiento será consecuencia de la reducción de la población activa en determinados países debido a la aplicación de políticas de control de natalidad, como el caso de China. En cuanto al África subsahariana, que es la única región del mundo que sigue manteniendo un incremento de la población activa (un 2,7 % anual), es posible que experimente un importante aumento de la producción a condición de que su productividad también aumente (supuesto que defiende Nina Kousnetzoff).

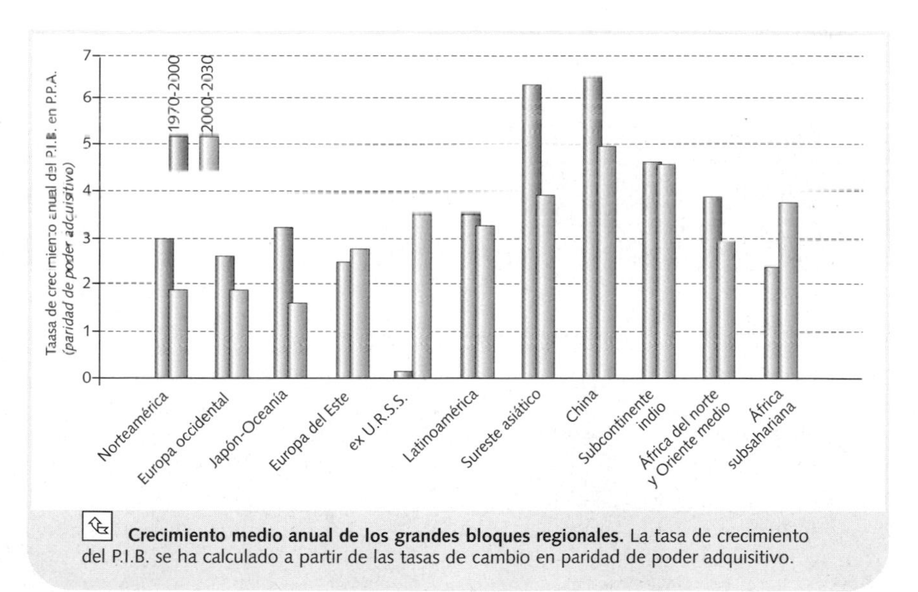

Crecimiento medio anual de los grandes bloques regionales. La tasa de crecimiento del P.I.B. se ha calculado a partir de las tasas de cambio en paridad de poder adquisitivo.

Puesto que el crecimiento estimado será muy superior en Europa central y oriental y en todas las regiones emergentes que en la tríada (Europa occidental, Japón y Estados Unidos) habrá que replantear el papel económico, es decir, político, de las naciones que actualmente ostentan un mayor peso en la economía mundial y toman decisiones en las instancias internacionales. Sin duda, el mundo del futuro será mucho más multipolar y los países emergentes intentarán ocupar un lugar de mayor calado en los grandes debates, ya se trate de los planteados por el G8 o de negociaciones emprendidas por instituciones internacionales. A pesar de ello, en 2030 las diferencias de desarrollo en términos de P.I.B. per cápita aún seguirán siendo muy marcadas, pues el rápido aumento de la producción en las regiones actualmente situadas en la periferia de los países más ricos no bastará para compensar las diferencias de nivel de vida a treinta años vista. Así, por ejemplo, se prevé que en 2030 el P.I.B. per cápita de los países del África subsahariana equivaldrá al 5 % del correspondiente a Estados Unidos.

Medio ambiente y desarrollo sostenible

Los problemas que para el conjunto de la humanidad pueden derivarse de un crecimiento descontrolado y exclusivamente determinado por las reglas del mercado y, por consiguiente, del beneficio inmediato, son bien conocidos desde la década de 1970. En 1972, el llamado Club de Roma, en un célebre informe titulado «Los límites del crecimiento» alertaba de los peligrosos efectos que podía tener el crecimiento sobre el medio ambiente. Dicho informe señalaba que el camino hacia adelante que suponía el aumento de los bienes materiales pasaba por alto dos problemas esenciales: el del agotamiento de los recursos naturales y el de la degradación del medio ambiente. Aun a pesar de que la visión pesimista del Club de Roma con respecto al agotamiento de las riquezas naturales resulta algo exagerada, y sobre todo vista en perspectiva, su preocupación por tener en cuenta el medio ambiente supuso el inicio de un movimiento de concienciación que fue secundado por otras entidades a nivel internacional. Así, por ejemplo, la Conferencia de las Naciones unidas sobre el medio humano celebrada en 1972 en Estocolmo otorgó por vez primera un papel preponderante a los problemas medioambientales en las negociaciones internacionales al tiempo que ponía en evidencia las contradicciones que pueden surgir entre el desarrollo como objetivo primordial y el mantenimiento del equilibrio ecológico. Sin embargo, a los ojos de los P.E.D., cuyo principal objetivo era crecer, la inquietud que mostraban los países desarrollados para evitar la deforestación o la desertización y preservar la biodiversidad resultaba eminentemente superflua. A pesar de sus reticencias, la reflexión sobre el impacto de la economía en el entorno ha seguido movilizando a buena parte de la sociedad civil, así como a algunos responsables políticos de los países industrializados.

Las dimensiones del desarrollo sostenible

La preocupación por la preservación del patrimonio natural se ha convertido, en algunos años, en una reflexión más global acerca de las condiciones que debe respetar el desarrollo económico para que las generaciones futuras no se vean perjudicadas por las decisiones del presente. Dicha reflexión gira esencialmente en torno a un concepto nuevo, el de «desarrollo sostenible» cuyo contenido fue definido en los siguientes términos por la comisión Bruntland (1987): «El desarrollo sostenible es un desarrollo que debe permitir a la actual generación responder a las necesidades del presente sin comprometer la capacidad de las futuras generaciones para responder a sus propias necesidades». En consecuencia, para poner en marcha un proceso de desarrollo sostenible hay que realizar elecciones que tengan en cuenta de manera simultánea tres dimensiones: la económica, la social

Cumbre de Río, junio de 1992. Los países reunidos en la Cumbre de la Tierra en Río prometieron aumentar las ayudas públicas de los países en desarrollo.

y la medioambiental, sin que ninguna de ellas tenga prioridad sobre las otras. En realidad, el tema del medio ambiente está siendo objeto de especial atención en las conferencias internacionales y gran parte de los acuerdos adoptados giran en torno a dicho aspecto, aunque luego sus resoluciones sean más o menos respetadas.

De la cumbre de Río (1992) a la de Johannesburgo (2003): una década de pequeños pasos

Con ocasión de la cumbre de la Tierra de Río de Janeiro (1992), los países desarrollados se comprometieron a aumentar las ayudas públicas concedidas a los países en vías de desarrollo siempre y cuando dichas ayudas se destinaran a la preservación del medio ambiente. Sin embargo, las promesas de la cumbre de Río no se mantuvieron, pues a pesar de que la ayuda pública total debía alcanzar el 0,7 % del P.I.B. de los países ricos, actualmente aún se halla muy por debajo de dicho objetivo. Las necesidades, estimadas en 125 000 millo-

Trabajadores chinos camino a la fábrica. La contaminación industrial de China es especialmente preocupante, pues este país no está sujeto a las reducciones de emisiones de gas de efecto invernadero acordadas en el marco del convenio de Río en 1992.

nes de dólares, sólo se han cubierto parcialmente puesto que la ayuda proporcionada durante la década de 1990 sólo sumó 40 000 millones de dólares. Por otro lado, en los debates en torno al medio ambiente la opinión de los países pobres y emergentes no tiene un gran peso, y más teniendo en cuenta que suelen mantener posiciones bastante divergentes al respecto. Asimismo, según los acuerdos derivados de la convención-marco de 1992, las naciones desarrolladas debían estabilizar sus emisiones de gas de efecto invernadero con el fin de que en 2000 su nivel no fuera superior al de 1990. Pero, por el contrario, los países emergentes no se hallaban sujetos a ninguna condición sobre este tema, especialmente China, la India y Brasil.

Un barrio de chabolas en los alrededores de Casablanca. En muchos países el acceso al agua potable todavía está lejos de ser una realidad, pues sus habitantes no pueden pagar el precio de mercado.

Los objetivos de 1992 no se respetaron y el informe del G.I.E.C. (grupo intergubernamental de expertos sobre la evolución del clima) de 1995 lanzó un mensaje preocupante que dio lugar al protocolo de Kyōto de 1997, en el se definieron dos frentes de actuación: mientras por un lado se establecían normas de reducción de las emisiones de gases de efecto invernadero entre 1990 y 2008 para los países de la O.C.D.E. y los P.E.C.O. (Países de Europa central y oriental), por el otro, se instauraban mecanismos de flexibilidad que permitían comprar el derecho a contaminar.

Los compromisos de reducción varían notablemente entre un país y otro. Así, la tasa de la Unión europea –8 % tiene una distribución de objetivos por país muy distinta: para Alemania –21 %, el 0 % para Francia, el +15 % para España y el +27 % para Portugal. Asimismo, los mecanismos contemplados por el protocolo de Kyōto permiten que un país mantenga sus compromisos a cambio de adquirir derechos adicionales para contaminar a un país cuya cuota de reducción sea inferior. Por otra parte, el acuerdo de Kyōto sólo puede aplicarse si lo ratifican los 55 países que suman por lo menos el 55 % de las emisiones de CO_2 de los países industrializados. Sin embargo, en diciembre de 2002 aún no se había alcanzado dicha proporción pues aunque la Unión europea ya lo había ratificado, Estados Unidos, responsable de aproximadamente una cuarta parte de las emisiones mundiales, no lo había hecho. A pesar de que hasta la fecha aún no lo ha aprobado, el protocolo de Kyōto admite el principio de la desigualdad en la asignación de los derechos de emisión en el futuro basándose en el nivel de emisiones del pasado. Esto equivale a conceder primas a las naciones más contaminantes en perjuicio de las más cumplidoras. Los países en vías de desarrollo, concretamente la India, han impugnado este principio y proponen que las cuotas se establezcan, no en función de la cantidad total de emisiones, sino en función de la cantidad de emisiones por habitante, lo que beneficiaría a los países menos industrializados, pues según este cálculo la cantidad de emisiones de un norteamericano equivaldría a la de 19 indios o 269 nepaleses.

En principio, la cumbre de Johannesburgo de agosto de 2002 debía servir para dar un nuevo impulso al proceso de resolución de los problemas relacionados con el desarrollo sostenible. De hecho, dicha conferencia proporcionaba a los países en vías de desarrollo la ocasión de abordar algunos de los asuntos comerciales tratados en el seno de la O.M.C., y en particular el de las subvenciones a la exportación concedidas por la Unión europea y Estados Unidos. Sin embargo la Unión europea, apoyada por E.U.A., tras negarse a incluir este tema en las negociaciones, logró imponer su criterio. Por otra parte, el acuerdo tampoco incluía ningún progreso real en relación a la cláusula social

Víctimas de la catástrofe del Bopal. Una fuga de gas tóxico en una empresa química fue la causante en 1984 más de 2 500 muertos.

Inundaciones en Bangla Desh en 1998. La inundación de la llanura, vinculada al fenómeno de los monzones, amenaza con agravarse en el futuro como consecuencia del calentamiento global del planeta.

que, sin embargo, constituye uno de los elementos clave del desarrollo sostenible. En cuanto a la reducción de la emisión de gases de efecto invernadero, la cumbre ratificó los objetivos acordados en Kyōto. Aunque dicho acuerdo no contempla ningún elemento concreto para el desarrollo e implantación de las energías renovables, sí insiste en el objetivo de reducir a la mitad, entre 2002 y 2035, el número de personas en el mundo que aún no tienen acceso al agua potable y que, en 2001, eran prácticamente 1 000 millones.

Finalmente, la propuesta francesa de crear un organismo mundial del medio ambiente que, dada su autoridad en el ámbito de las cuestiones medioambientales, pudiera dictar normas de obligado cumplimiento por parte de otras instituciones como la O.M.C., fue totalmente desestimada.

El desarrollo sostenible: una obra ingente

Los resultados que se han alcanzado hasta la fecha en el marco de los acuerdos internacionales resultan, sin duda, escasos en comparación con sus ambiciones. La situación de buena parte de la población mundial sigue siendo altamente insatisfactoria. Pero aún es más preocupante la alarmante y continuada degradación de la que está siendo objeto el medio ambiente.

La población mundial

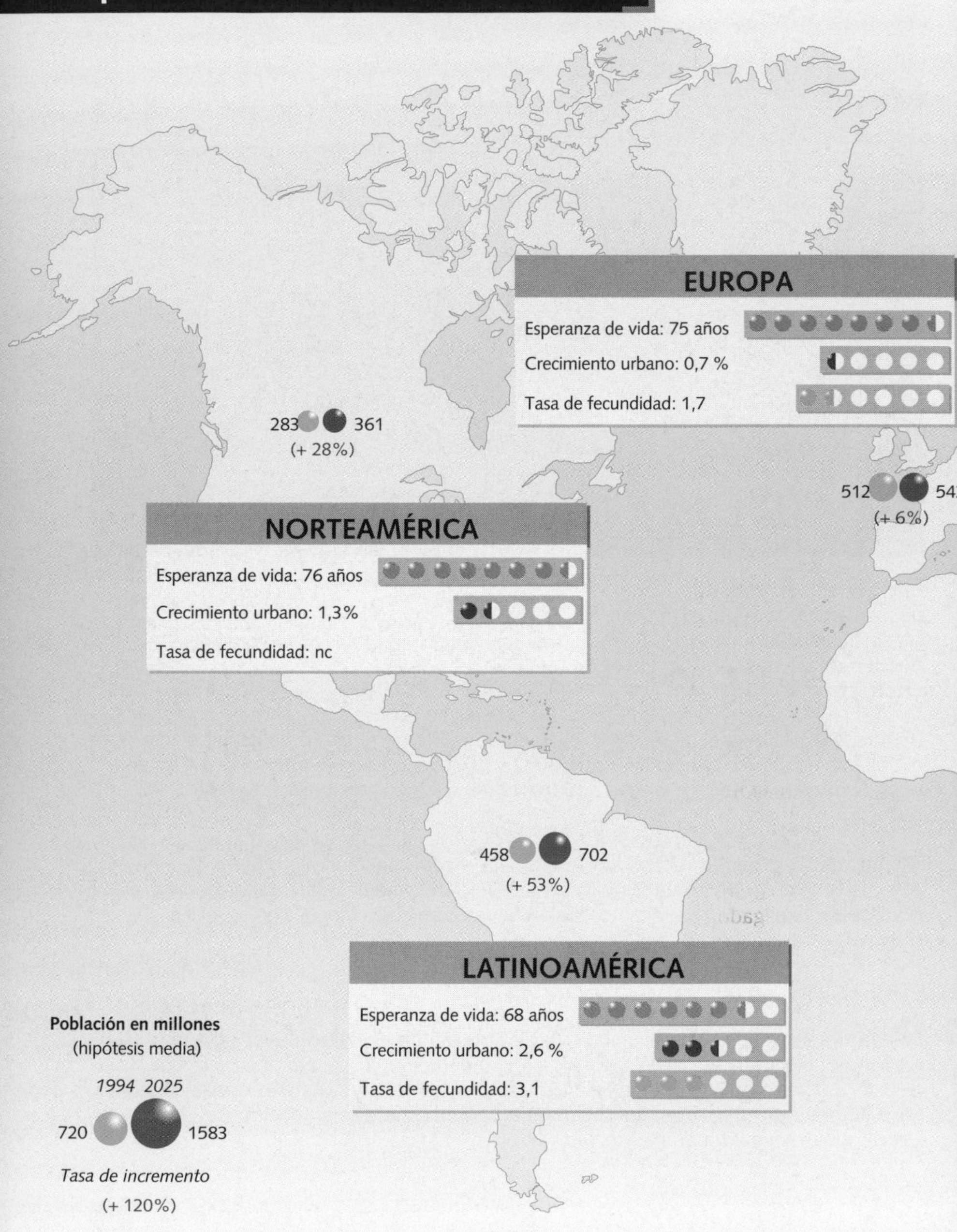

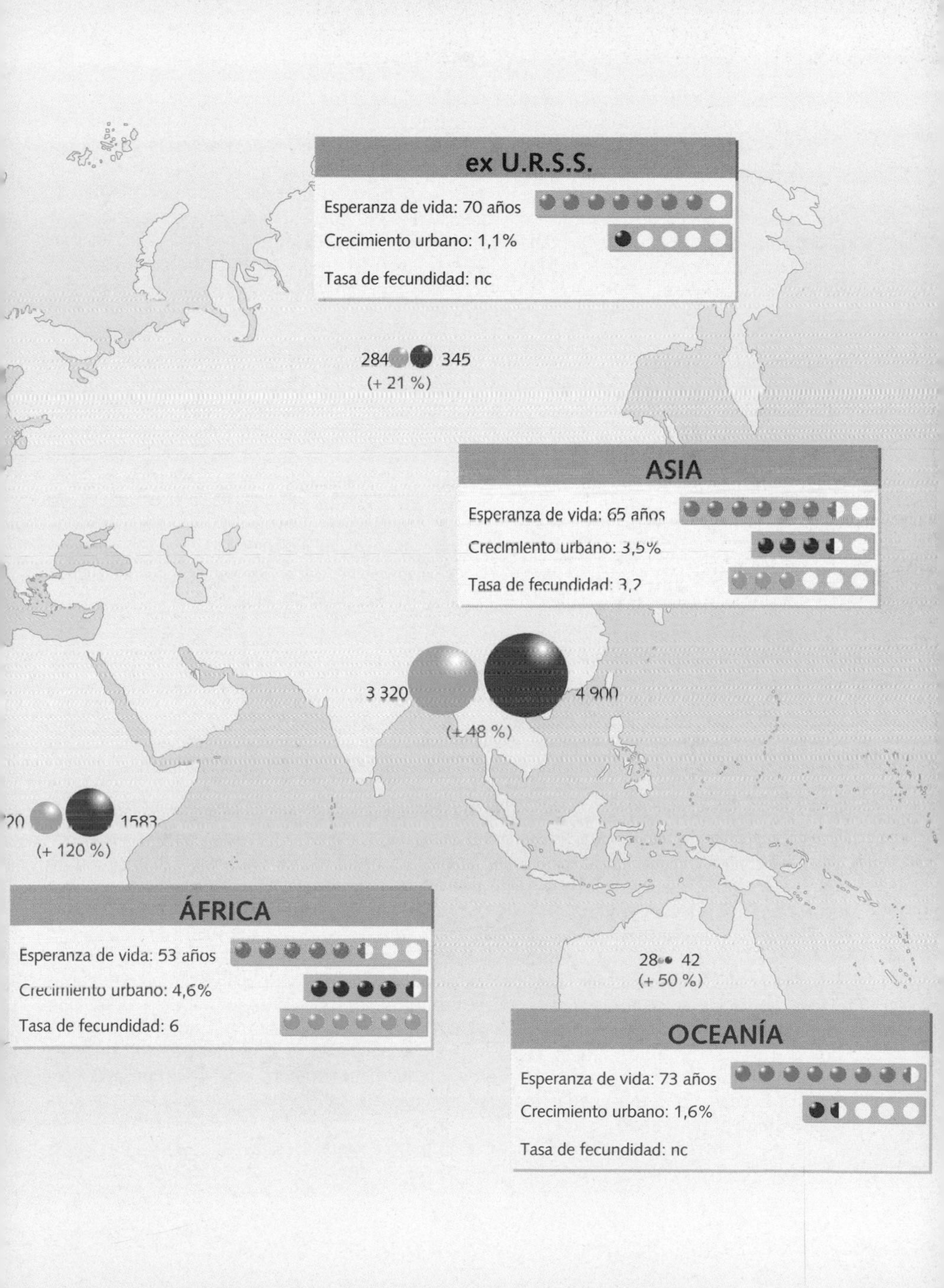
ex U.R.S.S.
Esperanza de vida: 70 años
Crecimiento urbano: 1,1%
Tasa de fecundidad: nc
284
345
(+ 21 %)
ASIA
Esperanza de vida: 65 años
Crecimiento urbano: 3,5%
Tasa de fecundidad: 3,2
3 320
4 900
(+ 48 %)
1583
(+ 120 %)
ÁFRICA
Esperanza de vida: 53 años
Crecimiento urbano: 4,6%
Tasa de fecundidad: 6
28
42
(+ 50 %)
OCEANÍA
Esperanza de vida: 73 años
Crecimiento urbano: 1,6%
Tasa de fecundidad: nc

Sobre este tema, Anne-Marie Sacquet realiza un balance particularmente alarmista. Sacquet señala que garantizar el acceso al agua potable a toda la población mundial y preservar este recurso vital requeriría llevar a cabo una inversión anual de 180 000 millones de dólares de los que actualmente sólo se hallan disponibles 80 000. Y además, dichas sumas ni siquiera permitirían a las poblaciones más desfavorecidas y/o insolventes disponer de agua potable, puesto que no poseen recursos suficientes para pagar el precio de mercado. Asimismo, el acceso a la educación sigue siendo muy desigual: el 20 % de la población mundial de más de 15 años es analfabeta, y de ésta la práctica totalidad (el 98 %) vive en países en vías de desarrollo y sus dos terceras partes son mujeres. Por otra parte, la falta de escolarización está estrechamente relacionada con el hecho de que los niños empiezan a trabajar a edades tempranas.

Según la O.I.T. y la Unicef, actualmente en el mundo trabajan 250 millones de niños entre los 5 y los 14 años, es decir, un niño de cada cuatro. Y en África, dicha proporción afecta a cuatro de cada diez niños. Es bien sabido que el tema de las condiciones laborales existentes en algunos países del sur es uno de los que despierta más polémica en la O.M.C. Los países del norte desean que se impongan normas a los otros países miembros para, al mismo tiempo, poder aplicar medidas de protección frente a una competencia a la que consideran desleal con el fin de obligar a los gobiernos de los países que toleran dichas condiciones a erradicarlas. Hasta la fecha, este delicado tema no ha dado lugar a ningún tipo de imposición de sanciones a los países infractores por parte de la O.M.C., porque los países en vías de desarrollo alegan que el argumento de la cláusula social no es más que un pretexto para justificar la actitud proteccionista de los países del Norte.

El calentamiento global del planeta

Sin duda, el tema de las emisiones de gases tóxicos de efecto invernadero es uno de los que ha recibido mayor atención en las conferencias sobre el desarrollo sostenible. Dicho tema está directamente relacionado con el problema del cambio climático, que podría tener consecuencias especialmente graves para el equilibrio ecológico del planeta.

Según los científicos, a lo largo del siglo XXI las emisiones de gas provocadas por los transportes, las actividades industriales y domésticas (CO_2, metano y óxido nitroso) darán lugar a un calentamiento global de varios grados centígrados. Pero además, el impacto de dicho calentamiento será especialmente dramático para los países costeros. Se prevé que en pocos años se sucederán un elevado número de fenómenos climáticos violentos (inundaciones, sequías, tormentas) que no serán más que la manifestación de los desajustes de nuestra civilización industrial. Aunque las medidas adoptadas en el marco de los acuerdos internacionales, y especialmente las derivadas del protocolo de Kyōto, están bien encaminadas, como ya se ha comentado, podrían tener efectos bastante limitados, puesto que muchos países, y concretamente Estados Unidos, posponen constantemente el momento de llevarlas a cabo. Y por si fuera poco, se trata de medidas mucho menos contundentes que las que harían falta, y más teniendo en cuenta el crecimiento industrial que está previsto que alcancen determinadas regiones emergentes especialmente pobladas, como la India, China o Indonesia.

Tierras yermas en Somalia, 1992. El desgaste de los suelos y el avance de la desertificación son el lastre principal de muchos de los países del África negra.

Desertización y biodiversidad

El tema de la desertización también es especialmente preocupante. En efecto, la desertización de las tierras cultivables se está extendiendo debido a muchas y variadas razones relacionadas con el calentamiento global y la deforestación y sobreexplotación de los suelos. Actualmente la desertización afecta a 800 millones de personas en todo el mundo, situadas, en su mayoría, en las regiones más áridas del planeta. La desertización se produce porque, al agotarse las tierras, son sometidas a nuevas deforestaciones y además, las excesivas dimensiones de los rebaños acaban por desecar los acuíferos y, por consiguiente, los suelos. La lucha contra la desertización sólo puede llevarse a cabo mediante campañas masivas de formación y sólidas aportaciones financieras. Existen programas como el Fondo para el medio ambiente mundial (F.M.A.M.) que financian programas agrícolas para mantener la fertilidad de los suelos. Por otra parte en la cumbre de la Tierra de Río también se decidió promover la elaboración de una convención de lucha contra la desertización, que en 2002 ya había sido ratificada por un total de 114 países.

Entre los objetivos del desarrollo sostenible figura también el de preservar la biodiversidad de la Tierra. Actualmente se han inventariado cerca de 1,7 millones de especies de las cuales 11 000 se hallan en serio peligro de extinción. Al ritmo actual, a finales del siglo XXI habrá desaparecido la mitad de las especies. Además, dicho fenómeno está estrechamente ligado al comportamiento humano. Así, actividades como la deforestación, la desertización, la agricultura y la pesca intensivas, o la extracción minera, que persiguen producir más y mejor, contribuyen a la desaparición de las especies vegetales y animales. Asimismo, la búsqueda del beneficio inmediato que suele regir el tráfico y la matanza de animales (como, por ejemplo, para la comercialización de marfil) también redundan en una importante reducción de la biodiverisidad.

La selva del Amazonas suele ser utilizada como el ejemplo paradigmático de la defensa del medio ambiente que contrapone el respeto de la biodiversidad a los imperativos puramente económicos.

Las empresas y el desarrollo sostenible

El concepto de desarrollo sostenible implica que el crecimiento económico debe ser evaluado en función del impacto que produce sobre cuatro tipos distintos de patrimonio: el capital físico y su contrapartida financiera, el capital humano (que aumenta gracias a la educación), el capital ecológico (el medio ambiente) y el capital social (entendido como las conquistas sociales). Los anteriores factores indican que desde hace unos doce años, tanto las instituciones internacionales como los gobiernos, presionados por las comunidades locales, las asociaciones civiles y las ONG (organizaciones no gubernamentales), han empezado a plantearse objetivos que tengan en cuenta la valoración del capital humano, ecológico y social como reacción contra las prioridades de la sociedad mercantilista, que únicamente tiende a privilegiar los resultados obtenidos en forma de beneficios financieros.

A menudo se ha acusado a la clase empresarial de decidir únicamente en función de la rentabilidad financiera y en perjuicio de cualquier otro principio. Las prácticas fraudulentas de algunas de las grandes empresas como Enron o Worldcom en 2002 no han hecho más que agravar el sentimiento de desconfianza de buena parte de los asalariados, accionistas y ciudadanos con respecto a los directivos empresariales, al considerar que la máxima preocupación de dichos directivos es su propio enriquecimiento personal. Ante esta actitud, que proyecta una imagen muy negativa del capitalismo, algunas empresas han reaccionado incluyendo entre su criterios de funcionamiento determinados elementos que no se limitan a la mera rentabilidad del capital invertido. Por consiguiente, cada vez existe un número más elevado de empresas que elaboran informes en los que presentan sus resultados en términos tanto sociales como medioambientales. Últimamente dichos resultados tienden, además, a armonizarse, y particularmente bajo el impulso de agencias de calificación o *rating* cuyo objetivo es dar una imagen de fiabilidad ante los distintos actores sociales, y especialmente los accionistas, con el fin de preservar la confianza de los mercados financieros.

La inversión social

Los inversores sociales suelen ser sujetos físicos, universidades, fundaciones o fondos de pensiones que realizan inversiones en función de criterios tanto de rentabilidad financiera como de desarrollo sostenible. En consecuencia, la emisión de títulos de valor, por lo general acciones, corre a cargo de empresas que, o bien gozan de prácticas irreprochables en materia social, o bien (y también) conceden especial atención a la protección del medio ambiente, tanto en relación a la calidad de sus productos como a las condiciones de su producción. La inversión solidaria aún va más lejos, pues supone que los inversores renuncien a parte de sus beneficios a cambio de donarlos a una causa de interés general o a una institución caritativa. Existe una serie de acontecimientos a escala mundial que contribuye a explicar el notable aumento del número de fondos de este tipo en los últimos años como pueden ser las catástrofes ecológicas de Bopal o Chernobil, las mareas negras, el calentamiento global, etc. Según el Social investment forum, en Estados Unidos la inversión social pasó de 1 185 000 millones de dólares en 1997 a 2 160 000 en 1999, un incremento muy superior al que experimentó el conjunto de activos gestionados por profesionales (el 82 % frente al 46 %). Esencialmente, dicho movimiento es consecuencia del buen rendimiento de los fondos mencionados así como de la inclusión de los valores bursátiles en los planes de pensiones. Así, por ejemplo, el fondo estadounidense Calpers, que gestiona un total de 150 000 millones de dólares en concepto de pensiones de jubilación en California, exige a las empresas en las que realiza sus inversiones que se atengan a la normativa laboral de la O.I.T. El espectacular aumento de este tipo de fondos, conocidos también como «fondos éticos», es un fenómeno propio de Estados Unidos. En Europa, este tipo de iniciativas aún siguen sien-

Una escuela en Angola en 1999. La escolarización en África aún está muy lejos de ser una realidad para muchos niños que suelen entrar a edades muy tempranas en el «mundo» laboral.

do bastante desconocidas salvo en el Reino Unido, que ejerce un papel pionero en este ámbito. En 1999, los fondos éticos del Reino Unido alcanzaron 75 000 millones de euros, es decir, 29 veces menos que los de Estados Unidos pero muy por encima de sus equivalentes en Francia (400 millones) Alemania (250 millones) y España (100 millones en 2001).

La reforma del sistema de gobernabilidad mundial

El movimiento de globalización de la economía, que ha experimentado una fuerte aceleración desde principios del siglo XXI, conlleva a la vez esperanzas y riesgos. La intensificación de la circulación de bienes y capitales permite a algunas regiones emergentes experimentar un crecimiento superior al que habrían alcanzado en un sistema más autárquico. Pero la búsqueda sistemática de oportunidades de negocio por parte de algunos inversores, poco preocupados por la ética y más motivados por la obtención de beneficios inmediatos que por una visión a largo plazo, ha desencadenado graves crisis en Asia, Rusia y Latinoamérica y ha dado lugar a inversiones y comportamientos que perjudican seriamente el medio ambiente. Para hacer frente a estas crisis así como a los problemas a largo plazo causados por nuestra propia civilización industrial, los estados suelen cooperar, ya sea mediante la celebración de cumbres entre responsables políticos o con la intermediación de instituciones internacionales. Como ya se ha comentado, la actividad de dichas instituciones ha sido objeto de encendidas críticas por parte de determinados representantes de la sociedad civil como las ONG, los sindicatos y otras asociaciones ciudadanas. Pero, sin duda, resulta especialmente urgente plantear el tema de la modalidad que debe adoptar un sistema de gobernabilidad mundial que sea capaz de entender con mayor profundidad los problemas que se plantean a nivel mundial. Sin duda nadie niega la necesidad de revisar, tanto en lo relativo a sus objetivos como a su implementación, el sistema de gobernabilidad mundial que se halla vigente y que es esencialmente herencia de la segunda guerra mundial. Pero asimismo, la reflexión en torno a su eventual reforma no puede evitar generar un debate sobre la legitimidad y eficacia de las instituciones existentes así como sobre su jerarquía y su capacidad para articular la solidaridad.

Legitimidad y eficacia

Las organizaciones internacionales vigentes en la actualidad, ya se trate del F.M.I., de la O.M.C. o del Banco mundial, por mencionar las más importantes, fueron creadas a instancias de gobiernos, en su mayor parte elegidos mediante procesos democráticos. Este hecho les confiere de entrada cierta legitimidad, por lo menos en la medida en que sus decisiones no van en contra de las opciones gubernamentales y/o los ciudadanos implicados reconocen la legitimidad de sus gobiernos respectivos. Sin embargo habría que atribuir una mayor democratización a los procesos de decisión de dichas organizaciones que se basara, por ejemplo, en su apertura a determinados actores de la sociedad civil como, por ejemplo, las ONG.

Por otra parte, la actual especialización de dichas organizaciones, que se traduce en el hecho que cada una de ellas se ocupaba de ámbitos específicos, a menudo suele percibirse como una debilidad del sistema. Al contrario, también se puede considerar que el prin-

Moscú durante la crisis de 1998. Rusia se vio obligada a devaluar el rublo.

cipio de distribución de las tareas contribuye hasta cierto punto a evitar el conflicto de competencias. Aun así, cabría plantearse el solapamiento que existe entre los ámbitos de actuación de dichas organizaciones y su estructura jerárquica.

Jerarquía y conflicto de competencias

La cuestión de si los estados deben aceptar las decisiones de los organismos internacionales sin ningún procedimiento alternativo de control democrático no suele plantearse muy a menudo. Así, por ejemplo, la aceptación de la jurisprudencia del órgano de solución de diferencias (O.S.D.) de la O.M.C. requiere que los poderes públicos nacionales renuncien a parte de su autonomía. Para evitar que las instituciones especializadas ejerzan un poder excesivo, se podría prever la intervención de una instancia política internacional legítima que definiera su misión y las orientara debidamente. Esta función es la que actualmente realiza, por lo menos en parte, el G7 (grupo formado por los jefes de estado o gobierno de los países más desarrollados, que desde hace algunos años, tras la incorporación de Rusia, se conoce como G8). El G7 fue quien propuso la iniciativa de reducir la deuda de los países más pobres, y también el responsable de impulsar la celebración de nuevas rondas de negociación de la O.M.C. a partir de 2001. Sin embargo, con el tiempo el G7 ha perdido legitimidad pues la producción de los siete países implicados ha pasado del 49 % del P.I.B. mundial en 1975 a un 44 % en 2001, y además su peso relativo con respecto a la población mundial se ha debilitado y actualmente se halla en clara regresión (el 11,3 % en 2001 frente al 14,2 % que tenía en 1975). Asimismo, es obvio que Europa se halla sobrerepresentada. Quizá habría que plantearse sustituir el G7 (o G8) por un grupo más amplio que incluyera a algunas de las economías emergentes. Pero Europa no es nada favorable a dicha iniciativa.

Por otra parte, en algunos ámbitos las decisiones dependen de varias instancias que pueden competir entre sí. Éste es, por ejemplo, el caso del medio ambiente, un tema clave para las futuras generaciones. En algunos de los artículos del G.A.T.T., recuperados por la O.M.C., se trata el medio ambiente como un ámbito aparte, en el que es posible aplicar cierto proteccionismo comercial. Sin duda, dichos artículos no se hallan en consonancia con algunas de las cláusulas del Acuerdo multilateral sobre el medio ambiente (A.M.M.A.). Todo ello plantea problemas jurídicos delicados cuya solución aún no está clara. Así, por ejemplo, se propuso que el O.S.D. de la O.M.C. sometiera sus decisiones a un organismo competente a título consultivo para que la O.S.D. dictara su propia resolución en función de dicha opinión consultiva. De hecho esta propuesta plantea un nuevo problema de legitimidad en la medida en que, en caso de adoptar públicamente una posición opuesta a la del organismo consultado, la credibilidad de la O.S.D. quedaría en entredicho.

El economista norteamericano James Tobin, premio Nobel de economía en 1981, es especialmente conocido por la tasa que lleva su nombre y cuya aplicación preconizan los opositores a la globalización.

La solidaridad: muchas promesas incumplidas

La ayuda a los países menos desarrollados es una de las principales prioridades de los países ricos. Desde hace unos diez años dicha ayuda, concedida en proporción sobre el P.I.B., ha experimentado un claro retroceso a pesar de las promesas que en 1992 se hicieron en la cumbre de Río. Pero además, los resultados obtenidos en términos de nivel de desarrollo suelen ser bastante desalentadores. Por un lado, los países donantes temen que los fondos asignados sean objeto de malversación por parte de algunos grupos poco preocupados por el destino de sus conciudadanos. Y por otro, las razones que suelen motivar las ayudas suelen ser bastante vagas, pues no queda claro si hay que transformar las estructuras de la economía receptora para permitirle practicar una economía de mercado o si, por el contrario, hay que mantener las estructuras productivas existentes. La solución que proponen los defensores de la tasa Tobin para aumentar las ayudas mediante un impuesto sobre las transacciones financieras especulativas resulta en principio interesante, pero parece difícil llevarla a cabo de un modo efectivo. Quizá podría gravarse en su lugar el comercio de armas y destinar la cantidad obtenida a ayudas que resultaran realmente eficaces.

Debate

Los actores de la globalización

A favor de la globalización

A.S.E.A.N. (Association of South East Asian nations)
La A.S.E.A.N. (en español, Asociación de naciones del Sureste asiático) se creó en 1967 en Bangkok y en 2002 reunía a los países siguientes: Brunei, Camboya, Indonesia, Laos, Malaysia, Myanmar (Birmania), Filipinas, Singapur, Tailandia y Vietnam. Su principal objetivo era crear una zona de libre comercio y favorecer la entrada de capital extranjero.

Página web: http://www.asean.or.id

Banco mundial
La institución del Banco mundial está formada por cinco organismos: el Banco internacional de reconstrucción y desarrollo (B.I.R.D.) creado en 1945, cuyo objetivo consiste en reducir la pobreza de los países de rentas medias y de los países pobres con capacidad de pago; el B.I.R.D. apoya el desarrollo mediante préstamos, garantías y servicios gratuitos, en concreto de asesoramiento, y sus países miembros, que en 2002 sumaban 184, son los propietarios del capital del Banco, cuyos fondos proceden de la venta de títulos en los mercados financieros mediante la emisión de bonos; la Asociación internacional de fomento (A.I.F.) concede préstamos sin interés a los países más pobres mediante contribuciones de los estados y países ricos; la Corporación financiera internacional (C.F.I.) gestiona la financiación, con otros inversores, a menudo privados, para proyectos en los países en vías de desarrollo; la Agencia multilateral de garantía de inversiones (A.M.G.I.) otorga garantías a los inversores extranjeros que financian proyectos en los países en desarrollo contra pérdidas vinculadas a riesgos no comerciales; el Centro internacional de arreglo de diferencias relativas a inversiones (C.I.A.D.I.) organiza la conciliación y arbitra en los conflictos entre inversores extranjeros y los estados en los que dichas inversiones tienen lugar.

Página web: http://www.worldbank.org

F.M.I. (Fondo monetario internacional)
La decisión de crear el F.M.I. surgió a raíz de la conferencia de Bretton Woods de 1944 y entró en funcionamiento en diciembre de 1945 tras la ratificación de sus estatutos por parte de sus miembros. Tiene su sede en Washington y en agosto de 2002 contaba con 184 países miembros. Su director gerente es Horst Köhler, de Alemania, y tiene 2 650 empleados de 140 países distintos. Entre sus objetivos figuran: promover la cooperación monetaria internacional, potenciar el comercio mundial, garantizar la estabilidad de las monedas, contribuir a establecer un sistema multilateral de pagos y proporcionar ayuda temporal a los países cuyas balanzas de pagos se hallen en dificultades. Sus principales ámbitos de actividad son supervisar las políticas cambiarias y las políticas macroeconómicas de sus miembros, proporcionar ayuda financiera mediante la concesión de créditos y préstamos a los países miembros con dificultades en la balanza de pagos, gestionar y aliviar créditos a través de su servicio para el crecimiento y la lucha contra la pobreza (S.C.L.P.) y la deuda en el marco de la Iniciativa en favor de los P.P.A.E. (pa-

íses pobres altamente endeudados). Asimismo, proporcionar asistencia técnica con el fin de ayudar a los distintos países a articular y gestionar mejor sus políticas macroeconómicas. La instancia suprema de decisión del F.M.I. es la junta de gobernadores integrada por los ministros de Hacienda o los gobernadores /presidentes de los bancos centrales de los países miembros, que se reúne una vez al año. El directorio ejecutivo, constituido por 24 directores ejecutivos que representan a los 184 países miembros, se encarga de gestionar los asuntos cotidianos del F.M.I.

Página web: http://www.imf.org/external/spa/

Mercosur (Mercado común de América del Sur)

El 26 de marzo de 1991, Argentina, Brasil, Paraguay y Uruguay decidieron, mediante el tratado de Asunción, constituir un mercado común: Mercado común de América del Sur. Su objetivo era llevar a cabo la integración de los cuatro países mediante la libre circulación de bienes, servicios y factores de producción, establecer un arancel exterior común, adoptar una política comercial común y coordinar sus políticas macroeconómicas y sectoriales. La estructura institucional de Mercosur está contemplada en el protocolo de Ouro Preto de diciembre de 1994.

Página web: http://www.mercosur.org.uy/

O.C.D.E. (Organización de cooperación y desarrollo económico)

La O.C.D.E., con sede en París, es un organismo de asesoramiento y estudio que reúne a los países de gobiernos democráticos con economía de mercado. En 2002 incluía a 30 países miembros: Alemania, Australia, Austria, Bélgica, Canadá, Comunidad europea, Corea, Dinamarca, España, Estados Unidos, Finlandia, Francia, Grecia, Hungría, Irlanda, Islandia, Italia, Japón, Luxemburgo, México, Noruega, Nueva Zelanda, Países Bajos, Polonia, Portugal, República Eslovaca, República Checa, Reino Unido, Suecia, Suiza y Turquía. Publica estadísticas y análisis sobre la situación económica de sus países miembros —y también, ocasionalmente, de los no miembros— en los que presenta la evaluación de las políticas económicas y las recomendaciones deseables.

Página web: http://www.oecd.org

O.M.C. (Organización mundial del comercio)

La O.M.C., que fue creada el 1 de enero de 1995 a raiz de las negociaciones de la ronda de Uruguay (1986-1994) tiene su sede en Ginebra. Su director general en diciembre de 2002 era Supachai Panitchapakdi, de Tailandia. El 1 de enero de 2002 contaba con 144 países miembros. Las principales funciones de la O.M.C. consisten en administrar los acuerdos comerciales alcanzados por los países miembros, organizar negociaciones comerciales multilaterales, dirimir sobre las diferencias comerciales presentadas ante su jurisdicción y realizar el seguimiento de las políticas comerciales. También proporciona asistencia técnica a los países en vías de desarrollo, coopera con las otras organizaciones internacionales y determina el procedimiento a seguir para ser miembro de la O.M.C. Sus decisiones se toman en el marco de las conferencias ministeriales que reúnen a los representantes de todos los países miembros y se celebran por lo menos una vez cada dos años. El consejo general es el órgano de decisión encargado de gestionar los asuntos corrientes y se reúne periódicamente. Las demandas sometidas al arbitrio del órgano de solución de diferencias se basan en informes realizados por comisiones especiales (grupos de expertos) y su fallo puede apelarse ante el órgano de apelación. Desde 1995, la

O.M.C. pasó a reemplazar al G.A.T.T. como organismo encargado de supervisar el sistema comercial multilateral.

Página web: http://www.wto.org/indexsp.htm

T.L.C.A.N. (Tratado de libre comercio de América del Norte)
El T.L.C.A.N. (en inglés N.A.F.T.A., *North American free trade agreement*) fue suscrito en enero de 1994 por Canadá, Estados Unidos y México. Dicho acuerdo tiene por objeto promover el libre comercio y las inversiones entre estos tres países, y prevé la progresiva eliminación de las barreras arancelarias y no arancelarias entre sus miembros, así como la armonización de su legislación en materia de circulación de capitales, servicios, propiedad intelectual y competencia. Su dispositivo institucional es bastante limitado y cuenta con un órgano de solución de diferencias cuyo funcionamiento es similar al O.S.D. de la O.M.C. La particularidad del T.L.C.A.N. en contraposición con otros acuerdos regionales es que asocia dos países desarrollados (Canadá y Estados Unidos) a un país emergente (México).

Página web: http://www.nafta-sec-alena.org

Unión europea
La Unión europea (U.E.) se gestó en 1950 tras la decisión de seis países europeos de llevar a cabo una unión económica. El tratado de Roma de 1957 institucionalizó su voluntad con objetivos como la libre circulación de mercancías, personas y capitales en el interior de la Unión y la adopción de una política comercial común. Después de superar las dificultades de la década de 1970, el Acta única de 1985-86 volvió a impulsar el proceso de integración. En 2002, la U.E. incluía a los países siguientes: Alemania, Austria, Bélgica, Dinamarca, España, Finlandia, Francia, Grecia, Irlanda, Italia, Luxemburgo, Países Bajos, Portugal, Reino Unido y Suecia. Los países miembros comparten la libre circulación de mercancías y capitales así como una política comercial y agrícola común. El consejo de la U.E., que integra a los representantes de los gobiernos de los quince estados miembros, es el máximo órgano legislativo y de decisión de la unión. La Comisión europea, que en 2002 fue presidida por Romano Prodi (Italia), elabora las propuestas de ley sometidas al Consejo, que vela por su ejecución. El parlamento europeo, elegido cada cinco años por sufragio universal, es el encargado de examinar y aprobar la legislación europea y, en particular, el presupuesto de la U.E. De los 15 países que forman la U.E., 12 han decidido avanzar en la vía de la integración mediante la adopción, a partir de 2002, de una moneda común, el euro, y del traspaso de su política monetaria al Banco central europeo. Los tres países que no formaban parte de la zona euro en 2002 eran Dinamarca, Reino Unido y Suecia.

Página web: http://www.europea.eu.int

Contra la globalización

Eddy Fougier, investigador del I.F.R.I. (*Institut français des relations internationales*) en su artículo «Contestations, Mondialisation et Inégalités» (Cahiers français, n° 305, *Mondialisations et inégalités*, La Documentation française, diciembre 2001, pp. 64-65) incluye la siguiente lista de principales organismos contrarios a la globalización:

Redes mundiales
Acción global de los pueblos contra el libre comercio y la organización mundial del comercio (A.G.P.)
Foro social de Génova
Foro social mundial
International Forum on Globalization
Mobilization for Global Justice
Movimiento internacional A.T.T.A.C.

Redes regionales
Alianza social continental, A.S.C. (América)
Arab NGO Network for Development

Sindicatos y organizaciones de consumidores
A.F.L.-C.I.O. (Estados Unidos)
Central Unica de Trabalhadores (C.U.T., Brasil)
Confederación internacional de organizaciones sindicales libres (C.I.O.S.L.)
Korean Confederation of Trade Unions, K.C.T.U. (Corea del Sur)
Public Citizens (Estados Unidos)
Sud-P.T.T. (Francia)

Movimientos sociales
Marchas europeas contra el paro, la precariedad y la exclusión social
Marcha mundial de las mujeres
Tute Bianche (Italia)

Movimientos campesinos
Asamblea de los pobres (Tailandia)
Confédération paysanne (Francia)
Movimiento de los sin tierra (Brasil)
Vía Campesina

Globalización
A.T.T.A.C.
Global Exchange (Estados Unidos)
Global Trade Watch (Estados Unidos)

Instituciones multilaterales
Bretton-Woods Project (Reino Unido)
C.E.E. Bankwatch Network (República Checa)
Coordination pour un contrôle citoyen de l'O.M.C. (Francia)
Fifty Years is Enough (Estados Unidos)
W.T.O. Watch (Estados Unidos)

Sur
Alternative Information & Development Centre (Sudáfrica)
Focus on the Global South (Tailandia)
Red mexicana de acción frente al libre comercio, R.M.A.F.L.C. (México)
Research Foundation for Science, Technology and Ecology (India)
Third World Network (Malaysia)

Deuda
Campaña Jubileo 2000/ Drop the Debt (Reino Unido)
Comité para la anulación de la deuda del Tercer Mundo (C.A.D.T.M.)
Jubileo Sur (Filipinas)

Empresas
Clean Clothes Campain (Países Bajos)
Colectivo «De l'éthique sur l'étiquette» (Francia)
Corporate Europe Observatory (Países Bajos)
Corporate Watch (Reino Unido)
Global Alliance (Estados Unidos)
United Students Against Sweathshops (Estados Unidos)

Derechos humanos
Amnistía Internacional
Federación internacional de ligas de derechos humanos (F.I.D.H.)
Human Rights Watch
People's Solidarity for Participatory Democracy (P.S.P.D.)

Medio ambiente
Amigos de la Tierra
Greenpeace
Sierra Club (Estados Unidos)

Norte-Sur/lucha contra la pobreza
Catholic Agency for Overseas Development (C.A.F.O.D., Reino Unido)
Chistian aid (Reino Unido)
Comité catholique contre la faim et pour le développement (Francia)
Halifax Iniative (Canadá)
Misereor (Alemania)
Oxfam (Reino Unido)
Solagral (Francia)

Radicales
AARRG! (Francia)
Ejército zapatista de liberación nacional (E.Z.L.N., México)
Direct Action Network (Estados Unidos)
Globalise Resistance (Reino Unido)
Movimiento de resistencia global, M.R.G. (España)
Reclaim the Street (Reino Unido)
Ya basta! (Italia)

Organizaciones políticas
Partido de los trabajadores (Brasil)
Socialist Workers Party (Reino Unido)

Medios de comunicación
AfterNet
Independent Media Centre
Le Monde diplomatique (Francia)
The Nation (Estados Unidos)
Znet!

Think Tanks
Center for Economic and Policy Research (C.P.E.R., Estados Unidos)
Center for Economic Policy Analysis (C.E.P.A., Estados Unidos)
Economic Policy Institute (Estados Unidos)
Institute for Agriculture & Trade Policy (Estados Unidos)
Institute for Policy Studies (Estados Unidos)
Instituto brasileiro de análises sociais e economicas (I.B.A.S.E., Brasil)
New Economics Foundation (Reino Unido)
Observatoire de la mondialisation (Francia)

Las multinacionales

Las 50 primeras empresas multinacionales en 2000

Posición según nivel de activos en el extranjero	Empresa	País de origen	Sector
1	Vodafone	Reino Unido	Telecomunicaciones
2	General Electric	Estados Unidos	Equipamiento eléctrico y electrónico
3	Exxon Mobil	Estados Unidos	Petróleo
4	Vivendi Universal	Francia	Diversos
5	General Motors	Estados Unidos	Vehículos automóviles
6	Royal Dutch Shell	Reino Unido y Países Bajos	Petróleo
7	BP	Reino Unido	Petróleo
8	Toyota	Japón	Vehículos automóviles
9	Telefónica	España	Telecomunicaciones
10	Fiat	Italia	Vehículos automóviles
11	IBM	Estados Unidos	Equipamiento eléctrico y electrónico
12	Volkswagen	Alemania	Vehículos automóviles
13	Chevron Texaco	Estados Unidos	Petróleo
14	Hutchison Whampoa	Hong Kong, China	Diversos
15	Suez	Francia	Electricidad, gas y agua
16	Daimler - Chrysler	Alemania / Estados Unidos	Vehículos automóviles
17	News Corporation	Australia	Comunicaciones
18	Nestlé	Suiza	Alimentación y bebidas
19	Total Fina Elf	Francia	Petróleo
20	Repsol YPF	España	Petróleo
21	BMW	Alemania	Vehículos automóviles
22	Sony	Japón	Equipamiento eléctrico y electrónico
23	E. On	Alemania	Electricidad, gas y agua
24	ABB	Suiza	Maquinaria y equipamiento
25	Philips	Países Bajos	Equipamiento eléctrico y electrónico*

1. En esta columna se indica el valor de las ventas realizadas por las filiales situadas en el extranjero, pero de hecho algunas empresas añaden a dicho valor el de las exportaciones de la empresa matriz.
2. El índice de transnacionalidad es un indicador sintético del grado de implantación de la empresa en el

Activos en el extranjero (miles de millones de dólares)	Activos totales (miles de millones de dólares)	Ventas al extranjero (miles de millones de dólares)[1]	Ventas totales (miles de millones de dólares)	Empleo en el extranjero (miles)	Índice de transnacionalidad (en %)[2]
221,2	222,3	7,4	11,7	24, 0	29,5
159,2	437,0	49,5	129,9	145,0	313,0
101,7	149,0	143,0	206,1	64,0	97,9
93,3	141, 9	19,4	39,4	210,1	327,4
75,1	303,1	48,2	184,6	165,3	386,0
74,8	122,5	81,1	149,1	54,1	95,4
57,5	75,2	105,6	148,1	88,3	107,2
56,0	154,1	62,2	125,6	--------[3]	210,7
56,0	87,1	12,9	26,3	71,3	148,7
52,8	95,0	35,9	53,6	112,2	224,0
43,1	88,3	51,2	88,4	170,0	316,0
42,7	75,9	57,8	79,6	160,3	324,4
42,6	77,6	65,0	117,1	21,7	69,3
41,9	56,6	2,8	7,3	27,2	49,6
38,5	43,5	24,1	32,2	117,3	173,2
---------	187,1	48.7	152,4	83,5	416,5
36,1	39,3	12,8	14,1	24,5	33,8
35,3	40,0	48,9	49,6	218,1	221,5
33,1	81,7	82,5	105,8	30,0	123,3
31,9	487,8	15,9	42,6	16,4	37,4
31,2	45,9	26,1	34,6	23,8	93,6
30,2	68,1	42,8	63,7	109,1	181,8
---------	114,9	41,3	86,9	88,3	186,8
28,6	31,0	22,5	23,0	151,3	160,8
27,9	35,9	33,3	34,9	184,2	219,4

➜

extranjero y equivale a la media de las tres relaciones: activos en el extranjero/activos totales, ventas en el extranjero/ventas totales, empleo en el extranjero/empleo total.

3. Datos no disponibles; en algunos casos se han podido calcular a partir de fuentes.

Posición según nivel de activos en el extranjero	Empresa	País de origen	Sector
26	Anglo American	Reino Unido	Minerales
27	Diageo	Reino Unido	Alimentación y bebidas
28	Wal-Mart Stores	Estados Unidos	Distribución
29	Honda	Japón	Vehículos automóviles
30	Alcatel	Francia	Maquinaria y equipamiento
31	British American Tobaco	Reino Unido	Tabacos
32	Nissan	Japón	Vehículos automóviles
33	BASF	Alemania	Química
34	Roche	Suiza	Farmacia
35	Bayer	Alemania	Farmacia
36	Eni	Italia	Petróleo
37	Unilever	Reino Unido y Países Bajos	Diversos
38	Ford	Estados Unidos	Vehículos automóviles
39	Rio Tinto	Reino Unido y Australia	Minerales
40	Aventis	Francia	Farmacia
41	Texas Utilities Company	Estados Unidos	Electricidad, gas y agua
42	Mitsui et Compagnie	Japón	Comercio al por mayor
43	Pfizer	Estados Unidos	Farmacia
44	Hewlett-Packard	Estados Unidos	Equipamiento eléctrico y electrónico
45	Carrefour	Francia	Distribución
46	Procter & Gamble	Estados Unidos	Diversos
47	Coca-Cola	Estados Unidos	Alimentación y bebidas
48	Peugeot	Francia	Vehículos automóviles
49	Thomson	Canadá	Comunicaciones
50	Dow Chemicals	Estados Unidos	Química

Fuente: United Nations Conference on Trade and Development (2002) , World Investment Report 2002, United Nations, Nueva York y Ginebra, pp. 86 y 87.

Activos en el extranjero (miles de millones de dólares)	Activos totales (miles de millones de dólares)	Ventas al extranjero (miles de millones de dólares)	Ventas totales (miles de millones de dólares)	Empleo en el extranjero (miles)	Índice de transnacionalidad (en %)
26,0	30,6	18,1	20,6	230,0	286,0
26,0	37,6	15,9	18,5	59,6	72,5
25,7	78,1	32,1	191,3	300,0	1300,0
25,6	46,1	41,9	57,4	56,2	112,4
24,5	39,5	25,3	29,5	----------	131,6
23,9	25,1	16,4	17,6	82,6	86,8
23,3	51,6	28,7	48,7	39,7	133,8
23,2	36,2	26,3	33,7	48,9	103,2
23,0	42,5	17,2	17,5	56,1	64,8
21,3	33,9	24,9	28,8	65,9	122,1
20,8	45,7	19,3	44,6	21,3	70,0
20,4	52,6	26,1	44,2	215,0	295,0
19,9	283,4	51,7	170,1	185,3	350,1
19,4	19,4	9,7	10,0	33,4	34,4
19,3	38,1	14,1	20,9	44,5 (empleo fuera de Europa)	102,5
19,2	43,4	7,8	22,0	4,7	16,5
19,1	64,1	45,9	128,2	5,7	39,3
19,1	33,5	10,0	29,4	56,0	90,0
--------	34,0	27,5	48,9	----------	87,9
17,1	24,1	28,7	60,3	209,5	330,2
17,0	34,2	19,9	40,0	----------	----------
16,6	20,8	12,7	20,5	28,2	37,0
16,3	47,0	28,5	43,0	54,5	172,4
15,5	15,7	6,1	6,5	33,6	36,0
15,5	36,1	16,7	29,5	24,0	53,3

La controversia

En la obra *La Mondialisation libérale* París, Grasset, 2002, Les Échos, Col. «Pour & contre» [GEORGE, Susan; WOLF, Martin (2002) *La globalización liberal: a favor y en contra*. Barcelona, Anagrama] Susan George (miembro de A.T.T.A.C.) y Martin Wolf (ex economista del Banco mundial y columnista del *Financial Times)* contrastan sus puntos de vista sobre la globalización.

1. *Cómo definir la globalización*

Para Susan George, la globalización es obra de las grandes multinacionales «como una máquina destinada a concentrar la riqueza y el poder en lo alto de la escala social» y «cada día engendra más exclusión social».

Para Martin Wolf, la globalización es «un proceso de integración de los mercados de bienes, servicios y capitales, y quizá incluso de la mano de obra, proceso que no ha hecho más que acelerarse desde la segunda guerra mundial».

2. *¿Qué queda del estado?*

Martin Wolf considera que es «perfectamente posible para un estado potenciar un aprovechamiento inteligente de las oportunidades que proporciona el mercado sin dejar de ofrecer a los ciudadanos los servicios que éstos pueden esperar de él».

Susan George, sin embargo, no comparte este punto de vista, pues para ella «la economía es la que dicta sus reglas a la sociedad, y no al revés» y «cada día somos testigos de una nueva ofensiva contra los servicios públicos» en la medida en que para las empresas es muy fácil «emplazar sus costes en los países que tienen impuestos más elevados y sus beneficios en los que los tienen más reducidos».

3. *El poder de las multinacionales*

Susan George considera que la globalización tiene como consecuencia «hacer que el poder de las multinacionales sea irreversible y genere desigualdades cada vez más profundas tanto entre los distintos países como en el interior de sus propias fronteras».

Para **Martin Wolf**, este punto de vista es demasiado simple para describir la «complejidad de las interacciones entre políticos, capitalistas internacionales y otras fuerzas sociales, incluidas las organizaciones no gubernamentales... «Las empresas dependen fundamentalmente de la organización del poder político de las naciones y siguen dependiendo de ella...».

4. *La deuda de los países en vías de desarrollo*

Para **Susan George**, desde el debate de la década de 1980 «la deuda se ha convertido en un increíble instrumento de control a pesar de que, desde hace ya mucho tiempo, no constituye ningún tipo de problema financiero».

Por su parte, **Martin Wolf** considera que «la condonación debería estar condicionada a una obligatoriedad de resultados».

xtractos de la obra de Joseph Stiglitz, premio Nobel de Economía, primer vicepresidente y economista jefe del Banco mundial entre 1997 y 2000, *La Grande Désillusion* París, Fayard, 2002. [Stiglitz, J. *El malestar en la globalización*. Madrid, Taurus, 2002].

«Las políticas de ajuste estructural del F.M.I. basadas en medidas destinadas a ayudar a un país a hacer frente a crisis y desequilibrios crónicos, en muchas ocasiones han provocado hambrunas y disturbios, e incluso cuando sus efectos no han sido tan perniciosos y han contribuido a impulsar un crecimiento incipiente durante un breve lapso de tiempo, gran parte de sus beneficios han ido a parar a manos de los estamentos más adinerados del país en desarrollo, mientras que en las capas más bajas de la escala social aumentaba el nivel de pobreza. Pero lo que más me choca es que muchos de los altos cargos del F.M.I. y del Banco mundial, y esencialmente los responsables de tomar las decisiones cruciales, no tenían ninguna sombra de duda sobre la pertinencia de sus políticas, al contrario que los gobernantes de los países afectados, que ciertamente albergaban sus dudas al respecto. Sin embargo, tenían tanto miedo de perder las fuentes de financiación del F.M.I. y, con ellas, otros fondos financieros, que sólo osaban a expresar sus dudas con una enorme cautela —si lo hacían— y únicamente en privado.»

Respuesta de Kenneth Rogoff, asesor económico y director del departamento de investigaciones del F.M.I. en una carta abierta este organismo con fecha de 2 de julio de 2002 en la que se dirige directamente a Stiglitz: «Tus ideas son, en el mejor de los casos, sumamente discutibles, y en el peor de los casos, un remedio de curandero... En medio de una oleada mundial de ataques especulativos, que tú mismo calificaste de crisis de confianza, alimentaste el pánico al socavar la confianza en las mismas instituciones para las que trabajabas. ¿Nunca te preguntaste, ni que fuera por un momento, si tus acciones no habían contribuido a sumir aún más en la pobreza a esos pueblos de Asia por los que tanto decías preocuparte ? (...) La receta *stiglitziana* consiste en aumentar el déficit fiscal, es decir, incrementar la deuda y emitir más moneda. En tu opinión, si el gobierno de un país en dificultades emite más moneda, sus ciudadanos creerán que ésta tiene más valor. Al parecer crees que cuando los inversionistas ya no quieren adquirir más títulos de deuda pública el mejor remedio es aumentar la oferta para que dicha deuda se venda como rosquillas. Nosotros, en el F.M.I. —que también somos habitantes del planeta Tierra— tenemos una gran experiencia que más bien sugiere lo contrario. Como terrícolas que somos hemos comprobado que cuando un país que padece dificultades fiscales trata de superarlas imprimiendo más dinero, la inflación aumenta, en muchos casos de forma descontrolada. Y esta inflación descontrolada ahoga el crecimiento y perjudica a toda la población, y especialmente a los más pobres. Aunque quizá bajo tu punto de vista las leyes de la economía sean algo distintas (...) No creemos que los mercados sean siempre perfectos como pareces reprocharnos. Pero sí creemos que en muchos casos también el estado tiene deficiencias, y que en los países en desarrollo estas deficiencias constituyen un problema mucho mayor que las deficiencias propias del mercado.»

Créditos de las ilustraciones

p. 6 © REA/P. Bessard; p. 8-9 © REA/P. Bessard; p. 13 © COSMOS/A. Keler; p. 18 © REA/P. Bessard; p. 20 © SIPA; p. 22-23 © CORBIS/Scheufler; p. 24 © ARCHIVES LARBOR; p. 25 © ARCHIVES LARBOR; p. 26 © ROGER-VIOLLET; p. 28 © ROGER-VIOLLET; p. 30 © ARCHIVES LARBOR; p. 33 © CORBIS/ S. Maze; p. 34 © CORBIS/T. Jouhanneau; p. 37 © COSMOS/ L. Psihoyos; p. 39 © REA/P. Bessard; p. 44 © REA/M. Dorigny; p. 45 © REA/P. Sittler; p. 47 © REA/M. Nascimento; p. 49 © REA-LA VIE/C. Boisseaux-Chical; p. 50-51 © REA/P. Bessard; p. 55 © REA/M. Nascimento; p. 57 (abajo) © REA/ Specht Heiko-Laif-Langrock; P. 57 (arriba) © REA A. Devouard; p. 60 © COSMOS/ P. Maitre; p. 63 (abajo) © MAGNUM/H. Kubota; p. 63 (arriba) © REA-SINOPIX / Saigo-Jones; p. 64 © COSMOS/Haimo Aga; p. 66 © REA/M. Nascimento; p. 69 © REA/Ludovic; p. 70 © REA-SABA/P. Blakel; p. 71 © REA/Ludovic; p. 75 © AFP/M. Lima; p. 76 © REA/M. Nascimento; p. 78 © CORBIS-BETTMANN; p. 80 © ARCHIVES LARBOR; p. 81 © ARCHIVES LARBOR; p. 85 © ARCHIVES LARBOR; p. 87 © CORBIS/T. Jouhanneau; p. 90 © SIPA/Polet; p. 92-93 © MAGNUM/M. Rio Branco; p. 94 © MAGNUM/P. Marlow; p. 95 © MAGNUM/ S. Franklin; p. 98 © SIPA/Cham-Mendes; p 100 © MAGNUM/H. Kubota; p. 101 © MAGNUM/B. Barbey; p. 102 © MAGNUM/Raghu Rai; p. 103 © COSMOS/ B. Gibson; p. 107 © REA/E. Bouvet; P. 108 © REA/Linke; p. 109 © SIPA/Dorigny; p. 111 © SIPA/Sel Ahmet; p. 112 © SIPA/AP/H. Burroughs; p. 113 © REA/P. Bessard.